新訂版 写真でわかる
母性看護技術
アドバンス

褥婦・新生児の観察とケア、母乳育児を理解しよう！

監修　平澤 美惠子
　　　日本赤十字看護大学 名誉教授
　　　村上 睦子
　　　元 日本赤十字看護大学大学院 国際保健助産学 教授

インターメディカ

はじめに

　母性看護は、母子の生命の尊重、人間としての尊厳性と権利の尊重を基盤にしており、ケア対象者の心身の安全と快適さを図り、育児の基本技術、自らの健康保持や健康増進を行えるセルフケア能力習得へのケア、母子（親子）の絆を深める相互作用へのケアなど、多様な看護技術の習得が求められます。看護実践力は、学内で学習した知識・技術・態度が実習の場で統合されて習得されますので、そのケアの基本となる理論と根拠に基づいた技術を、ケア対象者とかかわりながら相互作用のもとに、的確に効果的に行う学習が必要となります。

　2016年（平成28年）度看護師学校・養成所の入学定員は65,605人で、内訳は大学21,394人、短期大学1,930人、高等学校（5年一貫制・専攻科）4,420人、文部科学省指定専修学校980人、厚生労働省指定専修・各種学校36,881人です（平成29年度文部科学省 高等教育局 医学教育課資料）。一方で、出生数は減少の一途をたどり、2016年は976,979人（平成28年人口動態統計［概数］）で出生数は100万人を切りました。母性看護実習のケア対象である妊婦・産婦・褥婦、新生児の減少に伴い、教育機関での実習施設確保は困難を極めているのが実情です。これらの実態に対し厚生労働省医政局看護課から、都道府県看護主管部（課）長宛てに「母性看護学実習及び小児看護学実習における臨地実習について」の通知（平成27年9月1日付）が出されました。要旨は、母性看護学実習3週間／90時間中、産科医療施設において実習を行わない実践活動外の学内実習等の内容です。具体的には紙上シミュレーションを重視し、モデル人形等を用いて看護を学ぶ学習法です。本通知に関しては、看護教育者から反論する諸々の意見が出されています。

　産科実習施設の減少に伴い十分な実習での学びができないなかで、母性看護技術を精選して、その要点を理論的に原理の解説を行い、安全に確実に一つひとつの技術を習得できる学習教材として、2008年に「写真でわかる母性看護技術」を発刊いたしました。しかし、母性看護の実習体験をする機会はますます少なくなっており、先般「写真でわかる母性看護技術アドバンス」を刊行し、時代の推移のなかで必要とされる看護技術と、技術の理論を可視化してイメージ化を図り、実際

の技術に適応させていく方法として、母性看護技術のWeb動画を作成いたしました。

　本書では、骨子となる母性看護技術を精選してWeb動画とし、誌面と併せてWeb動画も有効に活用していただけるよう編集いたしました。

　Web動画では、看護学生が最もかかわる頻度の多い観察と看護技術として、以下の内容を収録しました。

　　　CHAPTER2「貧血症状・バイタルサインの観察」「子宮収縮状態の観察・子宮底長測定」「下肢浮腫の観察」「観察終了後」
　　　CHAPTER3「バックケア」
　　　CHAPTER4「呼吸の観察」「心拍の聴診」「体温の測定」「全身の観察」
　　　CHAPTER5「体重の測定」「身長の測定」「胸囲の測定」「頭囲の測定」
　　　CHAPTER6「沐浴」「着替え」「オムツ交換」
　　　CHAPTER7「新生児用ベッドからの抱き上げ（縦抱き、横抱き）」「縦抱きから横抱きに変更する場合」「新生児の寝かせ方」
　　　CHAPTER9「新生児の探索行動」
　　　CHAPTER10「吸着（ラッチ・オン）」
　　　CHAPTER11「搾乳の実施」

　なお、CHAPTER3の「バックケア」は、まだ一般化しておりませんが、褥婦の快適さを促すケアとして習得したい技術として加えました。

　本書は、看護学生の皆様には演習や自己学習の教材として、実践で看護技術を追求している看護師・助産師の皆様には、看護学の専門性と立ち位置を自覚しながら活用し、発展させていただきたいと思います。

　最後に写真撮影に快くご協力くださいました母子や家族の皆様、様々なかたちでご協力くださいました日本赤十字社医療センター看護部をはじめ周産母子・小児センターの皆様方、ほか関係する多くの方々、インターメディカ社長・赤土正幸様をはじめスタッフの皆様に感謝いたし、厚く御礼申し上げます。

2019年12月吉日

平澤美惠子

はじめに……………………………………………………………………2

母子（親子）相互作用

CHAPTER 1 母性看護技術で育まれる母子（親子）相互作用……… 12
- ●ストレスホルモンから始まる母親と児との関係…… 13
- ●オキシトシンの作用と早期母子接触の重要性 … 13
- ●母子（親子）相互作用を豊かにするケア……… 14

褥婦の観察とケア

CHAPTER 2 産褥復古の観察……………………………………… 20

　　Web動画　貧血症状・バイタルサインの観察／
　　　　　　　子宮収縮状態の観察・子宮底長測定／
　　　　　　　下肢浮腫の観察／観察終了後

CHAPTER 3 褥婦の健康と快適さを促すためのケア……………… 31
- ●産褥体操………………………………………… 33
- ●肩こりへの対処法……………………………… 41
- ●下肢の浮腫への対処法………………………… 43
- ●足浴……………………………………………… 44
- ●バックケア……………………………………… 46

　　Web動画　バックケア

新生児の観察とケア

CHAPTER 4 健康な新生児の全身観察…………………………… 54

　　Web動画　呼吸の観察／心拍の聴診／体温の測定／全身の観察

CHAPTER 5 新生児の身体計測 ………………………………… 69
　　　Web動画 体重の測定／身長の測定／胸囲の測定／頭囲の測定

CHAPTER 6 新生児の清潔ケア ……………………………… 74
　●ドライテクニック（乾燥法）………………… 75
　●沐浴 …………………………………………… 78
　　TOPICS 新生児の肌にやさしい新しい沐浴法 …… 92
　●部分浴 ………………………………………… 95
　●着替え ………………………………………… 98
　●オムツ交換 …………………………………… 102
　　　Web動画 沐浴／着替え／オムツ交換

CHAPTER 7 新生児の移送 ……………………………………… 105
　　　Web動画 新生児用ベッドからの抱き上げ（縦抱き、横抱き）／
　　　　　　縦抱きから横抱きに変更する場合／新生児の寝かせ方

母乳育児のためのケア

CHAPTER 8 母乳育児支援の基本 ……………………………… 114
　●「母乳育児成功のための10ヵ条」の実践 …… 115
　●母乳育児支援のポイント ……………………… 116

CHAPTER 9 出産直後の早期母子接触と母乳育児の開始 ………… 118
　●早期母子接触の効果 …………………………… 119
　●環境と体位の調整 ……………………………… 119
　●新生児の探索行動 ……………………………… 121
　●早期母子接触時のリスクマネジメント ……… 122
　●母子同室の実際 ………………………………… 123
　　　Web動画 早期母子接触（新生児の哺乳前行動）

CONTENTS

CHAPTER 10 授乳の支援 ……………………………………… 126
- ●授乳の準備 …………………………………… 127
- ●児の飲みたい欲求に応じた授乳 ……………… 128
- ●授乳姿勢のバリエーション …………………… 130
- ●吸着（ラッチ・オン）………………………… 132
- ●効果的に授乳できているかの観察 …………… 134
- ●母子のニーズに応じた支援 …………………… 136

　　Web動画　吸着（ラッチ・オン）

CHAPTER 11 搾乳の支援 ……………………………………… 141
- ●搾乳器による搾乳方法 ………………………… 143
- ●搾母乳の取り扱い ……………………………… 144

　　Web動画　手による搾乳の実際

CHAPTER 12 帝王切開手術で出産した母親への支援 ……… 146

　　TOPICS　母性看護における災害対策 ………… 148

参考文献 …………………………………………………………… 150
索引 ………………………………………………………………… 156

EDITORS/AUTHORS

【監修】 平澤美恵子　日本赤十字看護大学 名誉教授
　　　　村上　睦子　元 日本赤十字看護大学大学院 国際保健助産学 教授

【執筆】 谷津　裕子　東京慈恵会医科大学 医学部看護学科 基礎看護学 教授　（CHAPTER 1）

　　　　喜多　里己　日本赤十字看護大学 母性看護学 准教授／同大学院 国際保健助産学 准教授
　　　　　　　　　　（CHAPTER2・3、TOPICS［P148-149］）

　　　　井村　真澄　日本赤十字看護大学 母性看護学 教授／同大学院 国際保健助産学 教授
　　　　　　　　　　（CHAPTER3・8・9・10・11・12）

　　　　重松　環奈　日本赤十字社医療センター 周産母子・小児センター 看護師長　（CHAPTER4・5）

　　　　新田　真弓　日本赤十字看護大学 母性看護学 准教授／同大学院 国際保健助産学 准教授
　　　　　　　　　　（CHAPTER6・7）

　　　　鈴木　恵子　日本赤十字社医療センター 周産母子・小児センター 看護師長　（CHAPTER6・7）

　　　　武市　洋美　三茶助産院桶谷式母乳育児相談室 院長　（CHAPTER8・9・10・11・12）

　　　　齋藤　英子　日本赤十字看護大学 母性看護学 准教授／同大学院 国際保健助産学 准教授
　　　　　　　　　　（CHAPTER8・9・10・11・12）

【撮影協力】
　　　　中根　直子　日本赤十字社医療センター 周産母子・小児センター 副センター長 看護副部長
　　　　田中　亜実　聖路加国際病院 産科新生児科病棟
　　　　金子　美紀　聖路加国際病院 産科新生児科病棟 アシスタントナースマネージャー

【撮影協力施設】
　　　　日本赤十字看護大学／日本赤十字社医療センター／
　　　　聖路加国際病院／みやした助産院

本書のWeb動画の特徴と視聴方法

「写真でわかる アドバンス」シリーズの動画が
Web配信でより使いやすく、学びやすくなりました！

Web動画の特徴

- テキストのQRコードをスマートフォンやタブレット端末で読み込めば、リアルで鮮明な動画がいつでも、どこでも視聴できます。
- テキストの解説・写真・Web動画が連動することで、「読んで」「見て」「聴いて」、徹底理解！
- Web動画で、看護技術の流れやポイントが実践的に理解でき、臨床現場のイメージ化が図れます。
- 臨床の合間、通勤・通学時間、臨地実習の前後などでも活用いただけます。

本書のQRコードがついている箇所の動画をご覧いただけます。

本文中のQRコードを読み取りWeb動画を再生。
テキストと連動し、より実践的な学習をサポートします！

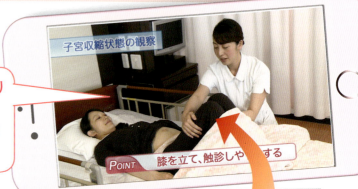

※無断で動画を複製・ダウンロードすることは法律で禁じられています。

Web動画の視聴方法

本書中のQRコードから、Web動画を読み込むことができます。
以下の手順でご視聴ください。

① スマートフォンやタブレット端末で、QRコード読み取り機能があるアプリを起動します。
② 本書中のQRコードを読み取ります。
③ 動画再生画面が表示され、自動的に動画が再生されます。

URLからパソコン等で視聴する場合

QRコードのついた動画は、すべてインターメディカの特設ページからもご視聴いただけます。以下の手順でご視聴ください。

① 以下URLから特設ページにアクセスし、下記のパスワードを入力してログインします。

> http://www.intermedica.co.jp/video/6909
> パスワード：k4bpm9

※第三者へのパスワードの提供・開示は固く禁じます。

② 動画一覧ページに移動後、サムネールの中から見たい動画をクリックして再生します。

閲覧環境

- iOS搭載のiPhone／iPadなど
- Android OS搭載のスマートフォン／タブレット端末
- パソコン（WindowsまたはMacintoshのいずれか）

・スマートフォン、タブレット端末のご利用に際しては、Wi-Fi環境などの高速で安定した通信環境をお勧めします。
・インターネット通信料はお客様のご負担となります。
　動画のご利用状況により、パケット通信料が高額になる場合があります。パケット通信料につきましては、弊社では責任を負いかねますので、予めご了承ください。
・動画配信システムのメンテナンス等により、まれに正常にご視聴いただけない場合があります。その場合は、時間を変えてお試しください。また、インターネット通信が安定しない環境でも、動画が停止したり、乱れたりする場合がありますので、その場合は場所を変えてお試しください。
・動画視聴期限は、最終版の発行日から5年間を予定しています。なお、予期しない事情等により、視聴期間内でも配信を停止する場合がありますが、ご了承ください。

QRコードは、（株）デンソーウェーブの登録商標です。

CHAPTER 1

母性看護技術で育まれる母子（親子）相互作用

母子（親子）相互作用

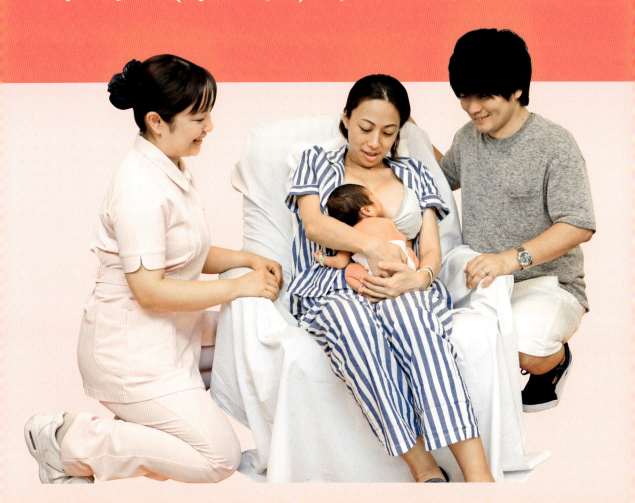

CHAPTER 1 母性看護技術で育まれる母子（親子）相互作用

母子の間で行われるやりとりで相互関係をつくりあげる過程を「母子相互作用」という。児の泣く、笑うなどのサインに対応して母親が児を抱く、授乳する、オムツを換えるなどの育児行動を行い、児が母親の対応に反応してよく眠る、見つめるなどの反応を返すという応答的な関係を指す[★1]。母子相互作用を積み重ねることで、児は母親に対して基本的信頼を築き、母親は児に対しての愛情を深め、"親と子の絆"が形成される。以下では、はじめに母子相互作用がどのように発達するのかを、ホルモンの作用という点から解説する。フランスの外科医であるミシェル・オダンは、愛着行動には、「分娩介助の技術でいちばん大切な、母子相互作用を豊かにするホルモン作用への理解が不可欠である」と述べている[文献2]。そのうえで、母子相互作用を豊かにし、"絆"形成を助けるような援助のありかたについてみていく。

なお、本稿では、適宜「母子（親子）相互作用」という言葉を用いている。"いま"という時代において、母親ばかりでなくもう一人の親（父親・パートナー）の存在も大きいと考えるからである。

★1 臨床心理士の永田雅子は、以下のように述べている（文献1）。親と子のやりとりは、どちらか一方の働きかけで進んでいくものではなく、親と子、それぞれの要因が複雑に絡み合いながら、お互いがお互いの反応を引き出しながら、少しずつまた揺れつ戻りつしながら進んでゆく。そこには微妙なリズムやハーモニーが存在し、視覚、聴覚、嗅覚、触覚など様々な感覚器を介したやりとり"相互作用"が生じる。親子の間では、お互いの顔を見合わせて笑顔を見せたり、親の語りかけのリズム・ピッチ・抑揚に合わせて児が発声したりするなど多様な感覚情報のやりとりが行われている。そうしたやりとりの積み重ねのなかで親との関係が築かれていく。

母子（親子）相互作用

ストレスホルモンから始まる母親と児との関係

　母子のかかわり合いは、出産前の胎児期にすでに始まっている。出産直後、新生児に母親が話しかけると、ぴたりと泣きやみ、安らかな顔になるという現象は、お腹の胎児に話しかける母親の声が胎児には聞こえており、出産でパニックになっている児が、母胎内で聞き慣れていた母親の声を聞き、安心したことを示す反応と考えられている。

　医師の宮本健作によれば、母子の相互の働きかけは、母体に分泌されたストレスホルモンを介して始まり、出産前後に最高潮に達する^{文献3)}。ストレスホルモン（アドレナリンやノルアドレナリンなどで、カテコールアミンと総称される）は、人体が危機に直面すると分泌され、緊急事態に備えるホルモンで、「適応ホルモン」とも呼ばれる。母胎内では母の感情が胎児に伝わり★2、分娩中は、胎児自身が分泌したストレスホルモンが、陣痛のたびに産道内で受ける強い圧迫や酸素不足といった生命の危機から胎児を守るように働く。分娩後は、新生児を覚醒させることで、はじめて母親と子が相互に見つめ合う機会をつくり、出生直後の母子相互作用を促進する。

　このようにストレスホルモンは、新生児が、出産直後のストレスを乗り切り、外界に適応し、母子相互の絆を形成するうえで重要な働きをするのである。

★2 妊娠中に感じる様々なストレスによって母親の胎内に分泌されたストレスホルモンが、臍帯を通じて胎児に伝わり、胎児にも影響を与えている。

オキシトシンの作用と早期母子接触の重要性

　母子相互の絆形成において、ストレスホルモンと並んで重要なのが、「オキシトシン」である。オキシトシンは母性行動を誘発させるホルモン★3 で、愛情ホルモンとも呼ばれる。

　分娩中、オキシトシンは母体内に大量に放出され、母親は新生児と深い愛情で結ばれる。オキシトシンは、児の誕生直前・直後に最大レベルに達するが、産後もすぐには消失せず、産後1時間にわたって母子相互作用に対して、特別な役割を果たす。

　したがって、オキシトシンが最大になる出産直後の時期をどのように過ごすかが母子の愛着形成のうえで重要となる（CHAPTER9 参照）。例えば、出産直後から新生児への接触の機会を多くつくると、母親が児と視線を合わせたり、抱いたり、いろいろな言葉で話しかけるなどの愛情を示す行動が多くなり、母子の相互作用が深められる。

　また、出産直後の数時間や数日以内に母子間の接触の機会を多く持つことで、母親らしい行動が増し、出産後の一定時間以内に「刷り込み」が起こるとも考えられている。また、たとえ予定外の妊娠や、望まない妊娠であっても、出産直後から母子・親子の接触の機会を設けることで、その後の育児行動に差が出てくることが示唆されている。動物行動学の先駆者マー

★3 子育てにおけるスキンシップが、オキシトシン分泌と深いかかわりがあることも分かっている。例えば、授乳中に母親と児とが相互に作用しあうことで、母子ともにオキシトシンが大量に分泌され、互いの絆がさらに深まる。

CHAPTER 1

シャル・クラウスは、出産直後の母子・家族との相互作用の機会を逃せば、あらゆる哺乳動物は、母児の愛着形成にとって極めて重要な母子相互の機会を失うとも述べている[文献4]。

このように出産直後から母子相互の働きかけは、母と子の絆を自然に生じさせるが、このとき母親以外の家族が参加することで、家族と児との連帯感がより強まり、家族の"絆"はさらに深まる。

母子（親子）相互作用を豊かにするケア

産前・産後の看護の目的は、母子の権利を尊重し、母親と児が支障なく母子（親子）相互作用を営み、良好な母子関係を築いていけるよう支援することである。援助のありかたをみていく。

①疲労回復・疼痛緩和のケア

母親が育児に余裕をもって取り組めるように、身体的側面から支援する。産後の疲労や疼痛は、育児行動を阻害する要因なので、早期に疲労を回復し疼痛を緩和するケアを行う（CHAPTER3参照）。産褥期の女性を対象とした介入研究では、マッサージ・足浴・アロマセラピーを行うことで、緊張や抑うつの軽減、疲労回復、乳房の痛みの軽減、母乳分泌促進などに対して一定の効果が得られることが示唆されている[文献5)6)7)8)]。

また、産褥期の疲労や疼痛には、妊娠期の過ごし方や分娩期の経過が色濃く反映されるため、妊娠期から適切な睡眠・運動と栄養によって身体づくりをし、自然な分娩進行を損ねずに安全で快適な出産をすることができるよう妊産婦を支援する。

②母子の生活環境への配慮

母子が快適に生活するための環境を整備することは、母子相互作用の促進につながる。環境には大きく「物理的環境」と「人的環境」がある。「物理的環境」を構成するものは、母親と児が生活する場である「空間」と、母子が生活を営む「時間」である。「母子同室」が母乳育児や心身の安寧、母子愛着によい影響を与えることは多くの研究で明らかにされている[文献9)]。またミシェル・オダンは、出産でいちばん大切な産婦のニーズとして、「安心感が得られること」「誰にも見られていないこと」「出産の場所が十分に暖かいこと」の3つを挙げ、これらを順守することが母子相互作用に重要なオキシトシン分泌を促す環境となると述べている[文献2)]。

一方、産褥早期は、病院・診療所では、頻回な授乳の合間をぬって診察・

母子（親子）相互作用

検査・集団指導が行われ、空いた時間に急いで食事や、洗面やシャワーなどの清潔行動、排泄など、母親のスケジュールは多忙になりがちである。時間的なゆとりがない状況では、母親はゆっくり児とかかわることができない。母子相互作用を促すためには、可能な限り母子の生活を中心にして、スケジュールや日課を組み立てることが重要となる。

「人的環境」とは、私たち看護師のかかわり方を指す。看護師は、母親と児とが互いの発するサインを十分に受け取ることができ、母子にとって安全・安心・安楽な環境の一部でなければならない。声の大きさやトーン、匂い、しぐさ、動き回る音が、母子相互作用の妨げになっていないか、話しかけた言葉が母親を安心させ、勇気づけるものになっているか、自分の動作が母親や児に威圧感や恐怖を与えていないかなどを、常に意識する必要がある。

看護師の手慣れたしぐさや自信に満ちあふれた態度が、母親に安心感を与える一方で、逆に恐怖や不安、自尊心の低下をもたらし得ることも指摘されている[文献10) 11)]。

援助の一環として行った行動の場合、それを相手が否定的に受け止めていても自覚することは難しい。自分の行動に対して母親がどのような表情や言葉、動作、口調で応えるかを注意深くとらえ、母親の受け取り方を早い段階でキャッチする必要がある。

③心理面への配慮

産褥期に入院している母親は、依存性の高い時期からやや高い時期にあり、自信を喪失したり、動揺しやすい状態にあると考えられる[★4]。

多くの母親にとっていちばんの関心事は、児の健康である。新生児の出産後の変化について、知識として把握していても、実際に目の当たりにして「異常では？」と不安を抱いたり、「分娩が長引いたことが原因では？」「母乳が出ない私のせいだ」と自責の念にかられたりする。

不安や気遣いは、児への愛着形成に大切な役割を果たすが、必要以上の不安や自責の念は母親の負担となり、心身にマイナスの影響をもたらし、結果的に児へもマイナスの影響をもたらすことになる。看護師はそうした母親の心理状態を理解しつつ、必要以上の不安や自責感を抱いていないかをアセスメントし、適宜介入する必要がある。児の健康状態を日々観察し、現在と今後の状態をアセスメントして、その結果を母親に分かりやすく伝えることで、母親はいまの状態を理解し、今後起こり得ることを予測して、安心して過ごすことができる。疑問や不安があれば、いつでも看護師に声をかけるように伝えることも大切である。

★4 ルヴァ・ルービンによれば、産褥1～2日目の母親は心身ともに依存的で受容的な状態にある。この時期は眠ること、食べること、出産のプロセスを振り返ることなどに専念する、母親にとって回復の時期にあたる。その後、依存性は徐々に減少し、約10日間をかけて母親は自立に向けて様々な育児行動を試みる。育児技術の習得に意欲を燃やすが、気分の変動が激しく、心理的にも技術的にも信頼のおける人が必要である（文献12）。またこのことは、産褥期のホルモン動態からも説明することができる。妊娠期に胎盤から高濃度で分泌されていたエストロゲンとプロゲステロンが、産後胎盤の脱落と同時に急減することが影響して、母親は心身ともに不安定な状態に置かれている。

CHAPTER 1

産褥期は、出産後の母体の回復を図ると同時に、授乳をはじめとする育児が始まる時期でもある。分娩が終了して安心する間もなく授乳や児の世話などの新しい体験をし、様々な不安や葛藤が生じる。そうしたなかで心理的な安定は得られにくく、軽いうつ状態を呈することもある。

産褥3～4日目ごろから1～2週間の間に出現する一過性の軽いうつ状態を「マタニティ・ブルー」という。マタニティ・ブルーは、①涙もろさ、②抑うつ気分、③不安、④軽い知的能力の低下を主症状とし、ほかにも疲労、集中力の低下、頭重感、不眠、育児技術の習得の緩慢などの特徴がみられる。

いずれも内分泌環境の急激な変化が起きる産褥期には出現しやすい症状だが、褥婦特有の状態だと思って見逃してしまうと、「産後うつ」に移行することがある。左にまとめた情報を手がかりに母親の状態をアセスメントし、徴候がみられたとき、みられそうなときは早期に介入する。母親が児に向き合う様子（言葉、動作、表情、口調など）を観察して、母親の心理状態（緊張感、不安、焦り、無関心などはないか）をアセスメントし、受容する姿勢でかかわる。ネガティブな発言は避けるが、安易な激励は余計に母親の苦しみを増すことがある。夫や家族の協力を得て、安心して育児ができるようサポート体制を整えていく。

疲労や不眠が症状を悪化させることもあるので、疲労回復や睡眠への援助を行う。精神的不調をきたす要因は様々で、母親や児の健康状態、既往の疾患、性格傾向、家庭不和など多岐にわたるため、関連する専門職者と連携して、チームでかかわることが大切である。

マタニティ・ブルーのリスク因子と症状の増悪に影響を及ぼす因子

【リスク因子】
- 高齢　●初産婦
- 神経質な性格
- 不定愁訴の多い妊婦
- 核家族

【症状の増悪に影響を及ぼす因子】
- 慣れない育児への不適応
- 睡眠不足
- 夫婦間の葛藤
- 夫や家族が非協力的

④家族へのかかわり

母子の相互作用を支えていくために、母親と児だけでなく、母親と児を支える家族を一つの単位としてとらえ、家族成員間のかかわりを大切にする視点が欠かせない。妊娠中から夫婦で学級活動に参加し、父親になる人がタッチする機会や声を胎児に聞かせる場を設け、可能な場合は静かな環境のもとで出産に参加し、母子・親子の安心感を得られる機会をつくり、育児期には可能な限りスキンシップをとれる環境を整える。

児の出生とともに、家族は新たな段階を迎える。夫婦世帯の核家族にとっては、児を介在した三者関係になり、コミュニケーションのパターンが大きく変化する。児の養育や教育という新たな親としての役割が加わることで、夫婦の就業形態や家事分担、家計などを見直す必要が生じる。

すでに児のいる家族にとっては、出生児を新たな成員として迎え入れることで、長子と出生児との間に新たなきょうだい関係が生じる。親と長子との間のコミュニケーションのパターンに修正が加わることで、親や長子の心理に葛藤が生じてくることがある。

　出産に伴う家族関係の変化は母親にとって未知な体験であり、希望や期待が膨らむ一方で、不安や心配の種にもなり得る。特に母親は、入院中は出産や育児のために毎日を懸命に過ごしているため、近い将来に起きるこうした家族関係の変化を具体的に考えて、予測的に対処することは容易ではない。退院が近づくにつれて、それらの懸念がより現実的なものになり、強い不安を抱くことがある。

　看護師は、母親の抱く懸念を理解し、援助を必要とするニーズをアセスメントして、適切に介入していくことが大切になる。授乳中や身体的ケア（足浴やマッサージなど）の最中など、心身ともにリラックスしている機会を活用し、家族関係をどのように考えているか、希望や期待、不安や心配があればそれはどのようなことか、自分では何をどのようにできる／できないと考えているか、他者から助言や支援を必要としていることはないかなど、母親の懸念の内容を具体的に把握する。なお、こうした介入はプライバシーの確保される場所で行われる。

　母親と児、家族との面会場面は、母親の入院によって一時分断された家族どうしのつながりを回復する貴重な場であるため、家族の相互作用の妨げにならないように不必要な介入は避けるべきである。しかし、母親と児と家族のかかわり合い方を観察し、必要に応じて家族からも話をうかがうことは大切である。家族自身が問題解決の策を見つけ出し、対処していくのを手伝うよう、適宜助言や支援を行う。

　家族のありかたは千差万別である。家族形態の多様性を把握し、母親と児にとって家族とはだれなのか、どのような存在なのかをその人の文脈から理解し、母親と児と家族にとって、最も望ましい生活のありようをともに検討する。

⑤退院後の生活に向けたかかわり

　昨今、出産による入院期間は短期化する傾向にあるため、退院後の生活に向けた入院中のかかわりは、これまで以上に重要となる。

　産後の母親と児の心身には様々な変化が生じる。母子の健康状態について医師や助産師が診察を行い、「問題なし」と判断されたケースであっても、産褥期の母親や新生児期の児は生理的な退行性変化、および進行性変化の途上にあり、まったくの健康人というわけではない。退院にあたっては、正常からの逸脱を予防し、早期発見・早期治療するための観察点や対処方

CHAPTER 1

法を伝える。

　さらに退院に向けて、家族関係やサポート状況、住宅環境、地域環境、経済状態などについて情報を得て、必要な支援や他部門との連携を図っていく。特に、産後6〜8週間ごろまでは産褥復古および母乳育児確立の時期であり、母親の身体的・精神的負担が大きくなる。そのため、人的・情緒的・物的サポートの充実が望まれる。サポートは、パートナーをはじめとする近親者から得られることが多いが、大切なのは"母親自身が安心して支援を受けられること"である。サポーターの存在がかえって心理的負担にならないよう、活用できる社会資源や利用方法などの情報も提供する。育児相談の窓口として、出産した施設や、地域の保健所・保健センター、地域子育て支援拠点などに電話相談があり、いつでも利用できることを情報として提供しておくと、ちょっとしたアドバイスが問題解決につながり、専門家からの保証が得られることで自信を持って育児に取り組めることにつながる場合がある。

　それぞれの母子には個別性があり、問題状況や関心事にはかなりの幅があるため、退院指導[★5]は個別的に行われることが望ましい。退院が近い母親を集めて集団指導のかたちで（看護師が参加者に向けて）話をする場合は、必ず参加者が自由に質問できる時間を設け、参加者と看護師間の交流を図りつつ、他の参加者と問題を共有することが大切である。

★5 一般的な退院指導については、文献13を参照のこと。

　これまで母子（親子）相互作用を中心に、母性看護で果たすべき役割を述べてきた。これらを「理論」ではなく「技術」として習得するためには、なぜそうするかの根拠を理解したうえで、繰り返しケアを行いながら身につけていく必要がある。

　そして臨地実習とは、教室で学んだ看護の理論を応用する場である。臨地実習では、学生の身分でも、看護業務の責任の一端を担うので、看護の目的を達成するための看護業務を遂行する責務も有している。

　この後のCHAPTERで解説する内容から母性看護の手技と根拠を学び、それを繰り返し実践しながら技術を身につけ、妊産婦の様々な個別性に合わせたケアの習得を目指してほしい。

CHAPTER **2**
産褥復古の観察

CHAPTER **3**
褥婦の健康と
快適さを促す
ためのケア

褥婦の観察とケア

CHAPTER 2 産褥復古の観察

妊娠および分娩によって生じた母体の全身および生殖器の解剖的・機能的変化が、妊娠前の状態に戻ることを産褥復古という。

産褥復古の期間は、分娩後6〜8週間程度である。分娩直後の数時間から産褥7日目までは急速に、その後は緩やかに戻っていく。身体が回復していくことは、育児のスタートにとって重要であるため、正常に回復しているかどうかを観察し、異常の早期発見・予防に努める。

本章では、復古現象の主たる変化である子宮収縮状態と悪露の経時的観察方法を含め、褥婦の産褥経過の健康診査について説明する。

目的
- 産褥復古が順調であることを確認し、また子宮復古不全などの異常を早期に発見する。

適応
1. 分娩第4期は、1時間ごとを目安に観察を行う。出血量が多い場合は、適宜観察を行う。
2. 初回歩行時(分娩後約2〜6時間後、施設により取り決めがある)に観察を行う。
3. 初回歩行後〜産褥1日目は、8〜12時間ごとに観察する。
   産褥2日目以降は、1日1回観察を行う。
4. 以下の場合は子宮復古不全を起こしやすいため、観察を頻繁に行う。
   - 胎盤や卵膜の遺残
   - 子宮筋の過伸展(多胎妊娠・羊水過多症など)
   - 子宮筋の疲労(遷延分娩)
   - 分娩時の出血多量
   - 子宮筋腫合併　など

環境整備	プライバシーに配慮	褥婦の肌や外陰部を露出するため、カーテンや扉を閉め、プライバシーに配慮する。
情報収集	妊娠・分娩、新生児について	褥婦の妊娠中・分娩中の経過、前回の復古状態の観察結果、新生児の健康状態・出生時体重など情報収集する。

褥婦の観察とケア

PROCESS ① 必要物品の準備と説明

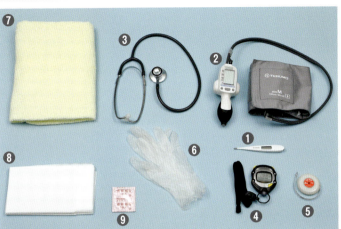

❶ 体温計　❷ 血圧計　❸ 聴診器
❹ ストップウオッチまたは秒針付き時計
❺ メジャー　❻ 手袋　❼ 掛け物
❽ ディスポシーツ（必要時）
❾ アルコール綿

POINT

- 新しい家族が誕生したことへの祝福、分娩や授乳で疲労している褥婦へのねぎらいの言葉をかける。
- 膀胱や直腸が充満していると子宮体部が押し上げられ、正確に計測できないため、排泄後に観察する。

看護師は、挨拶を交わし、新生児の様子、新生児に授乳した時間、睡眠状況、食事状況を確認し、観察可能な状況であることを確認した後、子宮復古、悪露、外陰部の観察の必要性や方法について説明し、承諾を得る。
排泄の有無を尋ね、膀胱の充満が予測される場合は、観察の前に排尿していただくよう促す。

CHECK! 観察の順序：頭側から足先へ

褥婦の表情・全身に常に留意しながら、頭側から足先へと観察する。
- 観察は、頭側から足先へと、清潔・不潔の区別に留意しながら進める。
- 分娩第4期および初回歩行前など、床上安静の場合：
　　　腹部・外陰部を露出する。子宮底を触診しながら流出してくる出血を併せて観察する。
- 初回歩行後：腹部を露出し、子宮底を観察する。その後、外陰部を露出し、外陰部の腫脹の有無、創部の治癒状態を観察し、必要時、触診して疼痛の有無を確認する。

CHAPTER 2

PROCESS 2 貧血症状・バイタルサインの観察 2-3

❶ 褥婦室に入る前に手洗いか、アルコール製剤で手指消毒をする。褥婦室に入室したときから、顔色・表情、姿勢・歩行動作、着衣の状況、ベッド回りの状況などに留意し、全身を観察する。

❷ 貧血症状を観察する。看護師は、褥婦の両側下眼瞼を拇指でやさしく押し下げ、眼瞼結膜の色調を観察する。

眼瞼結膜の色調を観察

❸ バイタルサイン（体温・脈拍・血圧）を測定する。褥婦に触れる際、皮膚の温度に留意し、冷えの有無を確認する。

POINT
- 母子同室では、新生児との生活（授乳・オムツ交換）の様子も情報収集する。

POINT
- 乳房が緊満している場合、腋窩での体温測定では体温が高値を示す場合がある。その場合は、感染症の徴候と鑑別するために肘窩など別の場所で測定する。

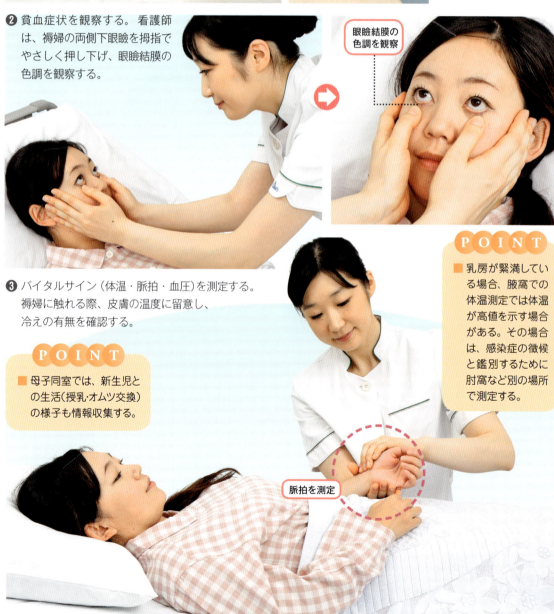

脈拍を測定

PROCESS 3 子宮収縮状態の観察・子宮底長測定

❶ 褥婦に仰臥位で両膝を立ててもらい、掛け物で下半身を覆う。

POINT
- 膝を立てると腹壁が弛緩し、子宮体部の触診が行いやすい。

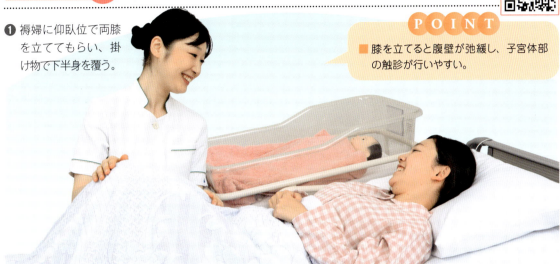

❷ 腹帯を広げ、腹部を露出する。この際、腹部の皮膚の状態を視診する。
併せて、腹直筋の離開などの状態も触診する。

POINT
- 子宮収縮状態の観察は、触った瞬間の感触が大切。
- 子宮底触診中に収縮していく感じがあれば、それまでの収縮が不良であったことを示している。

❸ 褥婦の左側から観察する場合は、看護師の右手手指をそろえ、手掌で腹壁に触れ、子宮体部を触診する。子宮体部の大きさ、形状、収縮状態を観察し、さらに子宮底の位置を確認する。

産褥子宮は移動性に富んでいるため、強く押して、子宮を押し下げないよう注意する。もう一方の手を恥骨結合上縁付近から子宮体に添えるとよい。

CHAPTER 2

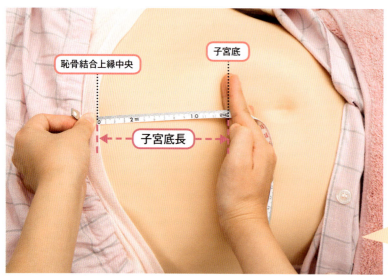

❹ 看護師の左手で、メジャーの0点を恥骨結合上縁中央に当て、固定する。
右手の示指・中指の間にメジャーをはさみ、中指・環指で子宮底をとらえて、目盛を読む。
計測時には、褥婦に両膝を伸ばしてもらう。

POINT
- 子宮底長は、恥骨結合上縁中央から子宮底までを計測する。

❺ 褥婦自身にも子宮体部を触知してもらい、変化していくことを説明する。

子宮の大きさの変化

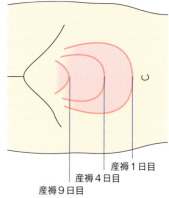

産褥1日目
産褥4日目
産褥9日目

CHECK！ 子宮底長の簡便な計測法（子宮底の高さ）

- 子宮底長の計測に、メジャーを用いず、観察者の手指幅（横指）を用いる場合がある。
- 褥婦の臍（または恥骨結合上縁中央）から子宮底までの長さを、手指幅（横指）で表現する。例えば、「臍下2横指」「恥骨結合上縁上3横指」などである。1横指は約1.2〜1.5cmである。

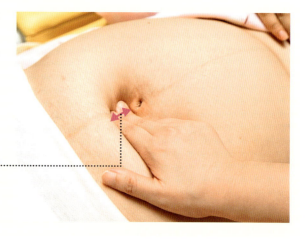

2横指

褥婦の観察とケア

子宮の復古

分娩後日数	子宮底の高さ	子宮底の長さ(恥骨結合上：cm)	子宮の幅(cm)	子宮腔の長さ(消息子による長さ：cm)	硬度	重量(g)
胎盤娩出直後	臍下2～3横指	11～12	11～14	14～18	硬く、こりこりしている	1,000
分娩後12時間	臍高～臍上1～2横指	15	11～15		少し柔らかくなる	
1～2日	臍下1～2横指	11～17	10～15	15～16	硬い	750
3日	分娩直後と同高	9～13	9～12	14	硬い	
4日	臍高と恥骨結合上縁の中央	9～10	9～11	13	硬い	
5日	恥骨結合上縁上3横指	8～11	8～10	12	硬い	
6日	恥骨結合上縁上2横指	7.5～8	8～9		硬い	500
7～10日	わずかに触れる	6～9	7～8	11		
11～14日	全く触れない					250
15日	全く触れない			10		

出典：文献1をもとに作成

子宮収縮状態の観察と判断

判断	子宮収縮状態の触知	(ボールの硬さに例える)
良好	腹壁と子宮の境界が明瞭で、硬く触れる	(硬式テニスボール)
やや不良	境界は明瞭だが、子宮はやや充実感を欠く	(硬めのゴムボール)
不良	子宮が柔らかく触れるか、境界不明瞭	(軟式テニスボール)

CHECK！ 子宮収縮を促すケア

授乳が子宮収縮を促す
- 授乳（搾乳）をして乳頭を刺激することで、下垂体後葉からオキシトシンが分泌される。オキシトシンは平滑筋を収縮させるため、乳頭では射乳が起こり、子宮は復古が促進される。

定期的な排泄を促す
- 膀胱や直腸の充満は子宮収縮を阻害する。分娩時に膀胱周囲神経が圧迫される影響などにより、産褥期に尿意を感じにくくなっている場合もあるため、定期的にトイレに行くよう促す。
- 会陰縫合をしている場合は、縫合部痛や「切れるのでは」という不安などの精神的要因により便秘を訴える場合がある。褥婦の不安・恐怖心に理解を示しながら、排便を促すケアを行う。

適度な活動と休息が大切
- 過度な疲労は全身の回復、子宮復古を阻害する。
- 分娩経過や出血量などを考慮し、離床や育児・授乳を進める。
  「赤ちゃんの寝起きに合わせて、お母さんも休みましょう」と説明する。指導スケジュール、面会時間の設定に配慮が必要である。

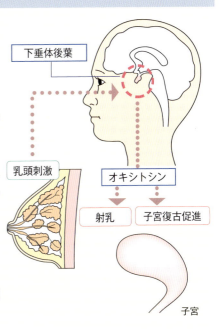

CHAPTER 2

| COLUMN | 帝王切開術後の場合 |

帝王切開術後の子宮復古の観察

褥婦が帝王切開術を受けた場合、
皮膚横切開なら恥骨結合上に切開創がある。
皮膚縦切開なら臍から恥骨結合に切開創がある。
それぞれ、創部を覆うガーゼが貼付されている。そのため、子宮底長計測は行えない。
創部の消毒・ガーゼ交換は、医師による創傷治癒状態の確認時に行う。

横切開の場合

触診

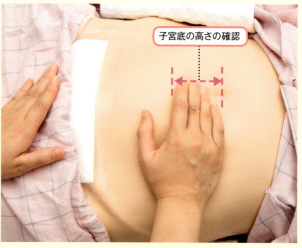
子宮底の高さの確認

縦切開の場合

触診

❶ 褥婦に仰臥位で両膝を立て、腹部を露出してもらう。

❷ ガーゼ上から創部に触れないよう気をつけ、子宮体部の左右から触診を行い、子宮収縮状態を観察する。

❸ 褥婦の臍から子宮底までの長さを、看護師の手指幅で測定できる場合は測定する。

❹ 初回歩行前の場合は、悪露排泄の観察も同時に行う。

❺ 観察終了後は、衣服を整える。

POINT

■ 帝王切開術後は、子宮筋層に切開創があり、安静臥床時間が長く悪露排泄が停滞しがちとなるため、経腟分娩に比べ子宮復古は遅延するといわれている。

■ 正確な子宮底長計測は困難。定期的に子宮収縮状態を観察し、子宮復古不全を起こさないようケアしていく。

褥婦の観察とケア

PROCESS ④ 輪状マッサージ（子宮収縮が不良の場合）

❶ 子宮収縮が不良の場合、子宮体部を観察していた手掌で、子宮底部をしっかりなでるように、手を輪状に動かしてマッサージを行う。

輪状マッサージの前後での子宮収縮状態、子宮底長を比較しながら観察する。

POINT
- 膀胱充満は子宮収縮不良の一因となるため、触診にて膀胱の充満がないか把握する。
- 強く圧迫して子宮下垂を起こさないよう注意する。

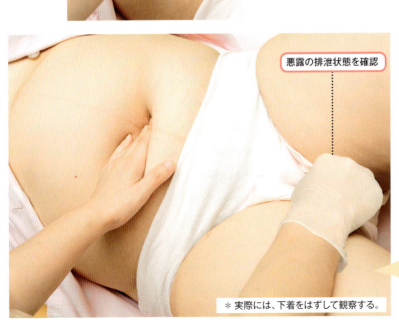

悪露の排泄状態を確認

❷ 輪状マッサージをしながら、悪露の排泄状態を併せて確認する。
子宮収縮不良で出血が持続する場合は、医師に報告し、子宮収縮薬の投与を検討する。

POINT
- 胎盤や卵膜の遺残がないか、分娩時の記録を再確認する。必要時、医師により子宮内容除去術が行われる。
- 臥床時間が長いと、子宮腔内に悪露が停滞しがちになる。

＊実際には、下着をはずして観察する。

CHAPTER 2

PROCESS 5 外陰部・悪露の観察

❶ 褥婦に膝を立てて、少し足を開いてもらう。膝下には掛け物をかける。

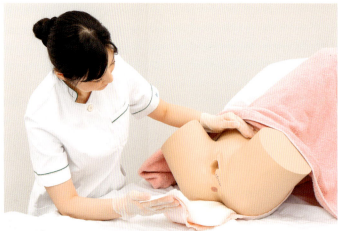

POINT
- 外陰部を観察する場合は、手袋を装着する。

❷ 産褥ショーツの前を開け（あるいは、ショーツを脱ぐのを手伝い）、外陰部からナプキン上部をはずし、子宮底を軽く圧迫し、悪露の排出の有無を確認する。ショーツを脱ぐ場合は、腰下にディスポシーツを敷く。

❸ 外陰部の腫脹・発赤の有無、会陰裂傷・切開がある場合は創傷の治癒、脱肛の有無を確認する。

POINT
- 産褥期は浮腫が残る場合がある。創部周囲を触診して柔らかければ問題ないが、硬い場合は感染の可能性がある。

褥婦の観察とケア

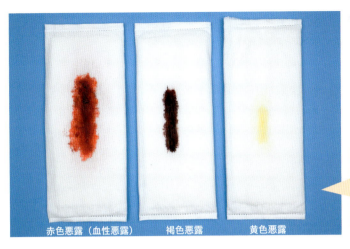

赤色悪露（血性悪露）　褐色悪露　黄色悪露

❹ 悪露の観察：産褥日数に応じた色・量・性状であるかを観察する。悪露量が多い場合は、褥婦に前回交換してからの時間を尋ね、正常範囲か否かを判断する。また、尿意の自覚はあるか、定期的に排尿しているかなどを確認する。

POINT
- 悪露の量・色・性状・臭気、混入物の有無を観察する。
- 悪露は、徐々に血液成分が減少し、透明な分泌物となる。

CHECK! 褥婦自身が行う外陰部の保清、悪露の観察

❶ 排泄後、微温湯で前方から後方へ悪露を洗い流し、トイレットペーパーで前方から後方へ水分を拭き取り、最後に肛門部を拭く。
トイレの外陰部洗浄装置も使用できるが、会陰縫合術をしている場合は、水圧で創部痛を感じる場合もある。

❷ 清潔なナプキンを当てる。
＊縫合閉鎖した創では、24〜48時間以内に上皮細胞が創面をシールするため、消毒綿などでの消毒は不要である。

❸ ナプキンに付着した悪露の量・色・性状・臭気、混入物の有無を観察し、気になることは看護師に報告する。

❹ シャワー浴の際にも、外陰部をよく洗浄し、悪露を洗い流す。

悪露の性状

赤色悪露（血性悪露）	産褥1〜2日	血液であり、特に産褥1日目は流動性がある。凝血はない。その後、しだいに血漿性となるが、強い赤色で、わずかに甘臭がある。
褐色悪露	産褥3日〜1週	血液成分が減少し、白血球の割合が増加する。血色素は変色して褐色となり、軽い臭気を伴うことがある。
黄色悪露	産褥1〜2、3週	赤血球成分が減少。産道の創傷面も治癒過程にあるため、漿液性の創傷液と白血球が増加し、黄色クリーム状となる。酸性。
白色悪露	産褥3〜5週	徐々に、量・色調ともに減少。透明な子宮腺の分泌物となる。
異常な悪露		● 産褥日数に比べ、悪露の量や色調変化が遅れている場合。（分娩経過や活動・休息の状況にも左右されるため、前日や前回の観察結果を踏まえたアセスメントが必要）。 ● 胎盤片や卵膜片などの混入物がある。 ● 異臭・腐敗臭がある場合は、感染を疑う。 ● 膿性（長期にわたる悪露滞留）。

POINT（黄色悪露）
- 授乳や活動量に応じて、一時的に赤色〜褐色悪露に戻る場合もあるが、長くは続かない。

CHAPTER 2

PROCESS 6 下肢浮腫の観察

看護師は、拇指で褥婦の脛骨前面を圧迫し、痕跡を観察。浮腫の程度を判断する。

浮腫の程度	
2＋	圧痕鮮明、指頭全部が埋まる程度のくぼみ（約4mm）
＋	圧痕鮮明、指頭の1/2程度のくぼみ（約2mm）
±	圧痕不鮮明、触診にてくぼみを触知できる
－	圧痕がない

PROCESS 7 観察終了後

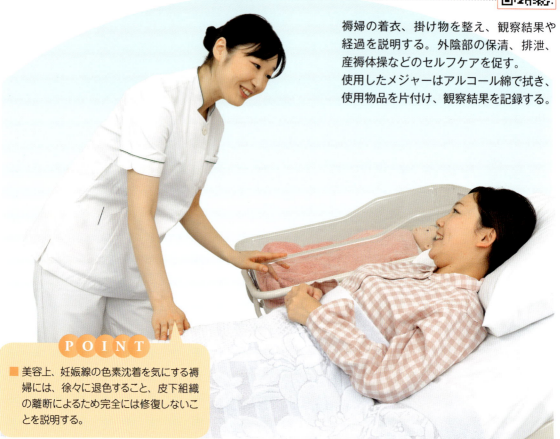

褥婦の着衣、掛け物を整え、観察結果や経過を説明する。外陰部の保清、排泄、産褥体操などのセルフケアを促す。
使用したメジャーはアルコール綿で拭き、使用物品を片付け、観察結果を記録する。

POINT
- 美容上、妊娠線の色素沈着を気にする褥婦には、徐々に退色すること、皮下組織の離断によるため完全には修復しないことを説明する。

CHAPTER 3 褥婦の健康と快適さを促すためのケア

産褥期にある褥婦は、身体的にも精神的にも、劇的な変化を体験している。たとえ妊娠経過や分娩経過が順調な褥婦であっても、全身の疲労感や筋肉痛、局所的な痛みがあり、思うように力が入らず、コントロールできない身体に不全感や不快感を覚えることも多い。全身の回復を促進し、不快感を改善させるためいくつかのケアを提案し、褥婦が自分に合うものを選択できるようにして、前向きに育児に取り組めるよう支援する。

本章では、主に産褥体操、足浴、バックケアを紹介する。

目的

【産褥体操】
1. 妊娠・分娩によって弛緩した腹筋、骨盤底筋などの筋肉や靱帯の緊張を回復させる。
2. 妊娠中に変化した姿勢を正しい姿勢へと矯正する。
3. 血液循環を促進し、乳房への血流量を増加させ、また下肢の浮腫や血栓症を予防する。
4. 軽い運動により疲労の回復を促す。
5. 悪露の排泄を促し、子宮復古を促進する。
6. 身体を動かすことで気分をさわやかにし、自己の健康への関心を高める。

【足浴】
1. 循環を促進する。
2. 気分を爽快にする。

【バックケア】
1. 分娩の疲労が残っている褥婦や、授乳や新生児の抱っこで緊張している褥婦の身体をリラックスさせ、心と身体のバランスを保つ。
2. 産褥早期の褥婦の不安、緊張、抑うつ、混乱を改善し、児への親近感を高める。

CHAPTER 3

適応

【産褥体操】

1. 正常な分娩経過の褥婦の場合は、分娩後半日ほど経過し、分娩時の疲労が軽ければ開始する。

2. 以下のような場合は、開始時期・体操内容を考慮する。
   - ●遷延分娩、出血多量などで疲労が強い。
   - ●発熱している。
   - ●帝王切開術後である。
   - ●循環器系・呼吸器系・泌尿器系・股関節などに疾患がある。
   - ●産褥血栓症がある。

【足浴】

1. 分娩直後から実施可能である。

2. 帝王切開術後の褥婦に実施する場合は、低温火傷を予防するため、下肢の感覚が完全に回復してから実施する。

【バックケア】

1. 産後1日目から実施可能である。乳房の緊満が始まらない産後2日目ごろが望ましい。

2. 帝王切開術後の褥婦に実施する場合は、創部痛の少ない体位を工夫する。

環境整備

リラックスできる環境を整える

リラックスして実施できる場所を選択する。産褥体操は、産褥早期であればベッド上(マットレスは硬め)で行ってもよい。できれば床にマットを敷いて行うとよい。

実施しやすい時間帯を選択

授乳間隔・休息状況から、褥婦自身が実施しやすい時間帯を選択する。

情報収集

褥婦についての情報収集を

実施前に、褥婦の既往歴・合併症・妊娠経過・分娩経過、現在までの産褥経過、新生児の健康状態などの情報を収集する。足浴については、下肢を触診し、冷えの有無や程度、湯温の好みを情報収集する。

褥婦の観察とケア

産褥体操

腹式呼吸や胸式呼吸、手関節や足関節の軽い運動から始め、産褥経過に応じて伸展・回旋・屈曲などの動きをつけ、徐々に腹筋運動・骨盤傾斜運動・全身運動へと拡大していく。

骨盤底筋群の復古を促す運動は、尿失禁の予防につながる。

1つの運動は、5〜10回繰り返す。

❶ 足首の運動

看護師がそばで指導

両足の裏を向かい合わせ、足の甲を伸ばしてつま先を内側に曲げる。そのまま、つま先をそらせる。

POINT
- 排泄をすませ、腹帯・コルセットをはずし、運動しやすい服装（パジャマ）をしてもらう。

POINT
- 看護師が横について、運動法を指導する。

CHECK! 産褥体操が日課となるよう援助

褥婦が産褥体操に毎日の日課として取り組めるよう、看護師は体操の意義・効果を説明する。妊婦体操（ヨガ、水泳含む）への取り組みについても情報収集しておくとよい。自宅でも継続して行えるよう、パンフレットを利用する。

- 1日約5〜20分間、2〜3回、疲労しない程度を目安に毎日行う。
- 産褥期間（産後6〜8週間程度）は継続し、徐々に一般的な体操に移行する。
- 施設内で一斉に行う場合は、適切な運動強度や回数が褥婦によって異なるため、個々の分娩経過や体力、産褥日数などを考慮する。

CHAPTER 3　褥婦の健康と快適さを促すためのケア

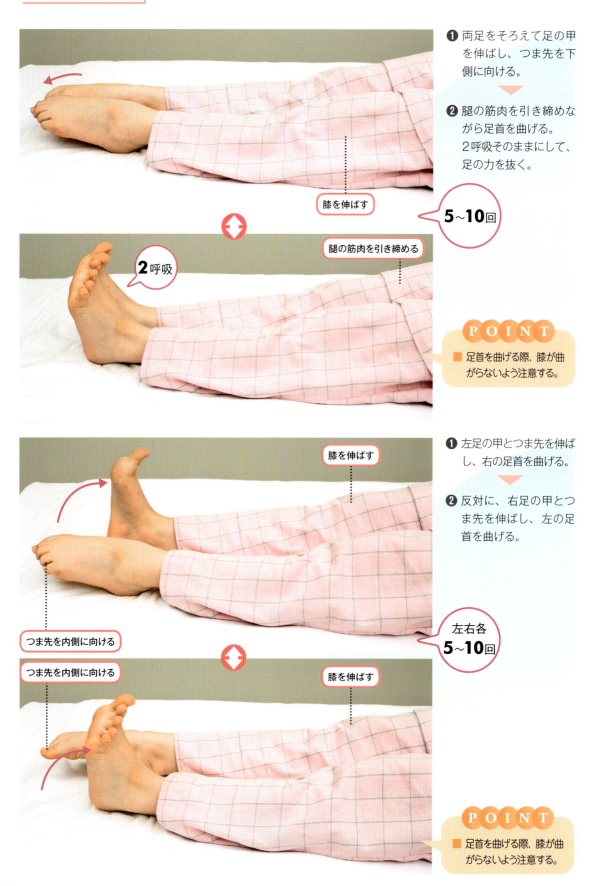

褥婦の観察とケア

❷ 首の運動

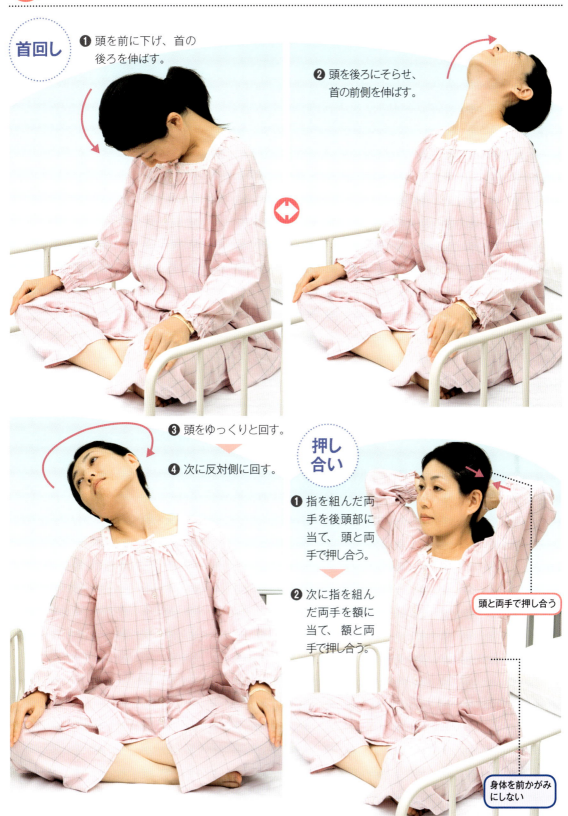

首回し
❶ 頭を前に下げ、首の後ろを伸ばす。
❷ 頭を後ろにそらせ、首の前側を伸ばす。
❸ 頭をゆっくりと回す。
❹ 次に反対側に回す。

押し合い
❶ 指を組んだ両手を後頭部に当て、頭と両手で押し合う。
❷ 次に指を組んだ両手を額に当て、額と両手で押し合う。

頭と両手で押し合う

身体を前かがみにしない

CHAPTER 3 褥婦の健康と快適さを促すためのケア

35

CHAPTER 3

❸ 肩関節と胸筋の運動

― 褥婦の観察とケア

④ 腹筋の強化

腹筋

❶ 仰臥位で両膝を曲げ、両手を背中の下に入れて、背中とマットの間に隙間をつくる。呼吸を止めずに、ゆっくりとお腹の筋肉を引き締め、背中とマットの間の隙間を狭める。

❷ 次にゆっくりとお腹の力を抜く。

> 背中の隙間を狭めるよう、お腹を締める

POINT
- 看護師が、一緒にポーズをとると行いやすい。

⑤ 骨盤底筋群の強化

腰の上げ下ろし

❶ 仰臥位で、足の裏、手のひらをマットにつけ、両膝を軽く立てる。腰をマットにつけたまま肛門を引き締め、息を吸って、次に吐きながら腰を上げる。

❷ 1呼吸おき、息を吐きながら腰を下ろす。全身をリラックスさせる。

> 腰の上下は息を吐きながら行う

肛門引き締め

殿部の筋肉、肛門を締める。「締める」「力を抜く」を繰り返す。立位や座位で行ってもよい。

> 殿部の筋肉・肛門を締める

CHAPTER 3

COLUMN — ケーゲル体操

ケーゲル体操とは、1940年代にアメリカの産婦人科医アーノルド・ケーゲル（Arnold Kegel）が考案した骨盤底筋群を強化するエクササイズである。
骨盤底筋群を繰り返し締めたり弱めたりすることで、妊娠・分娩による弛緩を早期に回復させる。

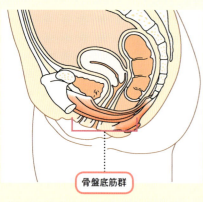

骨盤底筋群

❶ 体操前に排尿をすませる。

❷ 褥婦の楽な姿勢で行う。
ベッドに端座位になって行う場合は、腹部に手を当て、腹筋に力が入っていないことを確かめながら行う。

❸ ゆっくりと5秒ほどかけて息を吸いながら、膣を上に引き上げるようなイメージで締める。

❹ 息を止め、5秒間膣をギュッと締め続ける。

❺ ゆっくりと5秒ほどかけて息を吐きながら、力を抜いていく。

❻ ❸〜❺を数回繰り返す。

POINT
- 分娩後に骨盤底筋群が緩むため、産後に尿漏れを生じる褥婦がいる。羞恥心から看護師に話さない褥婦もいるため、訴えを待つのではなく、看護師から確認する。
- 尿漏れのある褥婦には、骨盤底筋群を強化する産褥体操(p37 ❺)やケーゲル体操の実施を促す。

褥婦には、肩や腹部、腰や足の力は抜いて、リラックスしてもらう

POINT
- 肛門、尿道、膣周辺の筋肉をできるだけ長く収縮させるように実施する。
- 膣、肛門の引き締め運動ができているかは、排尿中に同じ動きをして尿を止めることができるかどうかで確認できる。

❻ 下肢の運動

足の引き締め

2〜3回たたく

つま先を伸ばす

❶ 仰臥位で足を組み、上の足で下の足を軽く2〜3回たたく。

❷ 腰の筋肉と太腿を引き締め、両足を内側に寄せるようにしてつま先を伸ばす。1呼吸おき、力を抜く。

❸ 上下の足を入れ替えて行う。

1呼吸おく
↓
ゆっくりと力を抜く

足の挙上

90°

足の裏をマットにつける

1呼吸おく
↓
ゆっくりと力を抜く

90°

❶ 仰臥位をとり、右足を直角に曲げ、足の裏をマットにつける。

❷ 右太腿をマットに対して直角になるよう上げ、そのまま足を真上に伸ばす。1呼吸おいて、下ろす。

❸ 左足でも同じように行う。

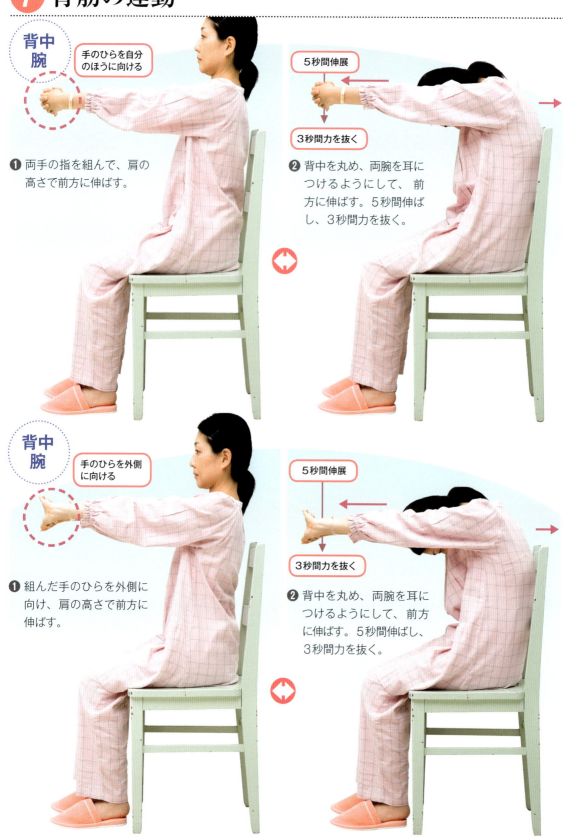

褥婦の観察とケア

⑧ 側腹筋の運動

❶ 両手を後頭部で組む。そのままゆっくりと上半身を側方に倒す。

❷ 上半身を元に戻してリラックス。

❸ 次に、反対側に上半身を倒す。

肩こりへの対処法

褥婦は慣れない抱っこや授乳で、肩や腕、背中に必要以上に力が入り、肩こりの症状を感じている場合がある。看護師は、抱っこや授乳時の姿勢を確認したり、肩の温罨法、肩のストレッチなどのケアを実施する。

PROCESS 1 肩の温罨法

温タオルをビニール袋に入れ、肩こりの部位に当てる。血液循環を促し、肩こりを和らげる。

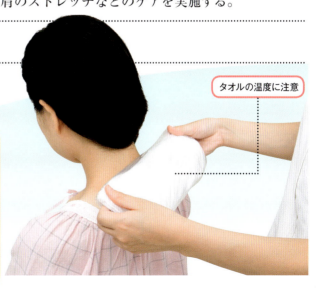

タオルの温度に注意

POINT
抱っこの仕方をチェック！
褥婦と新生児との接触面が少なく、肩や腕に必要以上に力が入っていると、肩こりにつながる。抱っこの仕方をチェックする。
■ 褥婦が児をしっかりと引き寄せ、身体に密着させているか？
■ 児を抱いている褥婦の肩が上がっていないか？
■ 腕全体で児を支えているか？

CHAPTER 3

PROCESS ❷ 肩の運動

産褥体操に加えて、肩のストレッチなどを行うと肩こり解消に効果的である。
ゆっくりと伸ばして、「気持ちいい」と感じる程度に行うよう説明する。

❶ 左腕を前方に伸ばし、右手で左肘をはさんで身体に近づける。

❷ 反対側も同様に行う。

肘ではさんで身体に近づける

❶ 左腕を上方に伸ばして肘を曲げ、右手を左肘に当てる。

❷ そのまま右手を引いて押し下げる。

❸ 反対側も同様に行う。

右手を引いて押し下げる

❶ 細長く丸めたタオルの両端を、背中側で持つ。

❷ そのままゆっくりとタオルを上下させる。

❸ 上下の手を替えて行う。
「気持ちいい」と感じる程度に行う。

タオルをゆっくり上下させる

下肢の浮腫への対処法

妊娠中には浮腫を経験しなかった褥婦でも、産褥期には下肢の浮腫を経験することがある。
頻繁な授乳による疲労や下肢の循環不全がその原因となる。
なかには妊娠高血圧症候群の後遺症や分娩時の出血による場合もあるため、血圧・血液検査データも併せて参照する。

PROCESS 1 靴下をはく

下肢の浮腫への対策として、靴下をはくよう勧める。

特に5本指の靴下がお勧め

PROCESS 2 下肢を挙上

下肢の浮腫がみられたら、足枕などで下肢を挙上する。足枕の貸し出しをするとよい。

足枕

CHECK！ 下肢の浮腫への対策

❶ 褥婦に適度な休息をとるよう勧める。授乳以外にも、集団指導などの予定があると、休息をとることができない。状況に応じて個別指導に切り替えるなど、柔軟な対応が望ましい。
❷ 足枕などを貸し出し、下肢を挙上するよう勧める。
❸ 靴下をはくよう勧める。特に5本指の靴下がよい。
❹ 下肢の運動を紹介する（p39参照）。足首の運動はいつでもできるので、気づいたときに動かすよう指導する。

CHAPTER 3

足浴

足浴には、循環を促進し、気分を爽快にする効果がある。
産褥早期の母親は、分娩の疲労に加え、慣れない授乳や病棟の日課に追われ、自分を顧みる余裕もなく過ごしている。
足浴により、褥婦に忙しい現実から短時間でも離れ、リラックスする時間を提供することができる。

PROCESS 1 必要物品の準備と説明

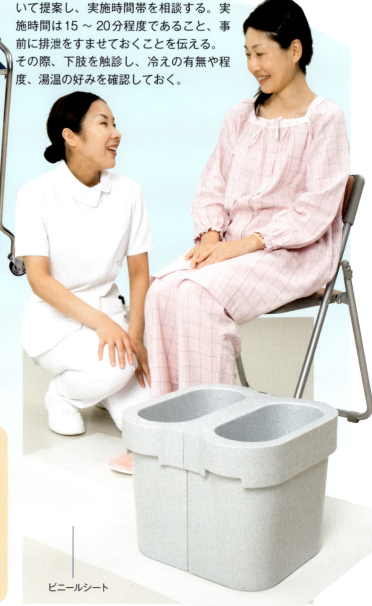

看護師は事前に、褥婦に足浴の実施について提案し、実施時間帯を相談する。実施時間は15〜20分程度であること、事前に排泄をすませておくことを伝える。その際、下肢を触診し、冷えの有無や程度、湯温の好みを確認しておく。

❶ 足浴用バケツ（ふくらはぎまでつかる深さ）
❷ 適温の湯（40℃程度）
❸ タオル（足拭き用）
❹ ひざ掛け
❺ ビニールシート
❻ 差し湯（必要時）
❼ 円座（必要時）
❽ エッセンシャルオイル（好み）

POINT

- 足浴後にゆっくり休める時間帯に実施。
- 下肢の冷えがある場合は、湯を熱く感じる。湯温は、褥婦の冷えの程度や好みに合わせる。
- エッセンシャルオイルは水には溶けないため、直接湯に入れると、オイルが皮膚について低温火傷を起こす場合がある。オイルは塩などに混ぜ、湯に溶かして使用する。

ビニールシート

褥婦の観察とケア

PROCESS 2 足浴の実施

❶ 褥婦のズボンを膝までまくり、ぬれないようにする。

❷ 褥婦に、両足を足浴バケツに入れてもらう。褥婦に湯温を確認し、必要時、差し湯をする。三陰交の部分がお湯に浸かる深さにする。

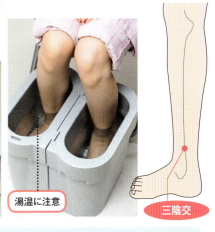

湯温に注意

三陰交

❸ 足浴バケツにふたをし、ひざ掛けをかける。看護師は足浴中、そばに付き添い、褥婦の話を傾聴する。

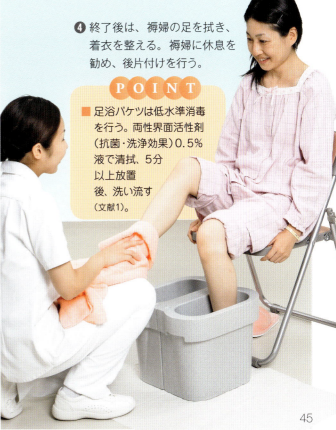

❹ 終了後は、褥婦の足を拭き、着衣を整える。褥婦に休息を勧め、後片付けを行う。

POINT
- 足浴バケツは低水準消毒を行う。両性界面活性剤（抗菌・洗浄効果）0.5％液で清拭、5分以上放置後、洗い流す（文献1）。

CHAPTER 3 褥婦の健康と快適さを促すためのケア

CHAPTER 3

バックケア

3-1

産褥早期の褥婦は、分娩の疲労が回復しないまま、新生児との生活が始まる。初産婦では産後の生活すべてにおいてはじめての経験が多く、緊張や不安が続く毎日である。褥婦は、新生児の欲求に応えてオムツ交換や授乳など世話をする一方で、沐浴指導や退院指導など、忙しいスケジュールに追われる。ここでは、褥婦と新生児の関係を阻害しないよう配慮しながら、褥婦の心身のリラクセーションを促すための、10分間程度で行うマッサージ(バックケア)を紹介する。

目的

1. 出産後で疲れている褥婦の心身のリラクセーションを促す。
2. マッサージにより筋肉のコリをほぐし、血液循環を促す。

基本的なマッサージ法

軽擦法	身体にオイルを延ばすときや、筋肉の表面をリラックスさせるときの方法。手のひら全体を使い、部位全体を覆うように、ゆっくりやさしいストロークで触れる。	**POINT** ■ 指を閉じ、手のひらを肌に密着させて腕を動かす。
強擦法	コリの解消に有効な方法。指先の腹を使って深部までしっかりと押す。	

マッサージの注意点

- 褥婦の呼吸、体温、皮膚の状態、筋肉の硬さを感じ取る。
- はじめは「ソフト」に、途中は「しっかり」、最後は「ゆっくり」を心がける。
- 褥婦の呼吸よりゆったりした速度で行い、深くゆっくりした呼吸に導く。
- 次に何をするか、適宜、声をかける。
- 首の位置を変えるときは手を添える。

環境整備

室温 上半身を裸にしても寒くないよう調整する。

照明 リラックスできる明るさ、穏やかな照明に切り替える。

ベッド ベッド柵を外し、高さを看護師の腰のあたり(褥婦が寝た状態で背部に手を置いたとき、肘が軽く曲がる程度)に調整する。

褥婦の観察とケア

準備と説明

必要物品の準備
❶ バスタオル
❷ 枕、または胸当てクッション
❸ 綿毛布、または敷きバスタオル
❹ マッサージオイル

POINT
- マッサージオイルは、褥婦の皮膚との摩擦を小さくし、手を滑らかに動かせるようにするために使用する。
- 皮膚の弱い方の場合は、使用前にパッチテストを行ってから使用する。

母子の準備
- ケアの途中で新生児が泣きだすことのないよう、授乳を十分にする（新生児室があれば授乳後に預ける）。
- 褥婦にはトイレをすませてもらい、上着のみ脱衣し、髪のピンやゴム、ピアスなどをはずしてもらう。うつぶせになり、乳房、腰、肩が痛い場合は、タオルやクッションで体勢を整える。

ヘアピン、ゴム、ピアスなどは、マッサージ中に看護師の手指が引っかからないようにはずす

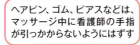

看護師の準備
- じゃまにならないよう、名札やペン類などは白衣からすべてはずす。
- 衣類が褥婦に触れないように身支度する。
- 穏やかな気持ちでマッサージに集中して実施できるよう、深呼吸を数回して心を落ち着かせる。
- 腕ではなく重心の移動でマッサージを行えるように、足を前後に開いて立つ。

POINT
- マッサージ前には、他の受け持ち患者へのケアを調整し、他のスタッフにもマッサージに入ることを伝え、PHSをナースステーションに預けるなどの工夫をし、マッサージに専念する準備をしてから実施する。

CHECK! アロマセラピーの実践

- アロマセラピーには、エッセンシャルオイルを用いた芳香浴や温浴、マッサージなどがある。エッセンシャルオイルには様々な作用があり、妊産褥婦・小児に使用する場合には、必ずアロマセラピーの専門スタッフに相談し、適切に使用する。
- エッセンシャルオイルの心身への作用については、現在も研究が蓄積されているところである。不適切な使用により、思わぬ影響を及ぼさないよう、新生児のいない場所での使用が望ましい。一方、不必要に母子を分離しないよう、実施時に配慮する。

CHAPTER 3

PROCESS 1 ファーストタッチ、背部のオイリング

❶ 褥婦にこれからマッサージを行うことを伝え、バスタオルの上からファーストタッチを行う。

殿部までマッサージを行うため、露出に配慮しながら、バスタオルを腰元に扇子折にして、衣服を調整する。

❷ 背中の中心から放射線状にオイリングする。
自分の手のひらでオイルを温めてから、褥婦の身体に塗る。両手を背中の中心に置き、放射線状に手を滑らせる。

POINT
■ 手でオイルを温める際には、必ず机上で行い、褥婦の頭上は避ける。

❸ 最後に肩から腕に抜けるように、手を滑らせる。

PROCESS 2 背部のマッサージ

以下の❶～❷の手順を、手掌全体を使って、左右同時に行う。

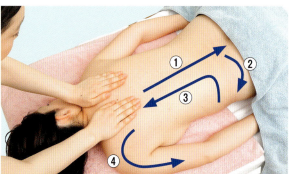

❶ 首の付け根 ➡ 腰 ➋ 殿部 ➌ 肩 ➍ 腕に抜ける軽擦法を、15秒かけて3回行う。

軽擦法　15秒×3回

褥婦の観察とケア

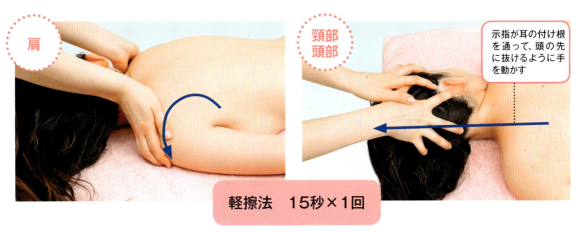

軽擦法　15秒×1回

❷ ❶のマッサージを3回した後に、肩・頸部・頭部周囲のマッサージを、15秒かけて左右で各1回行う。

PROCESS 3 肩と肩甲のマッサージ

以下の❶〜❸までの手順を、拇指（および拇指球）を使って、左右片方ずつ行う。

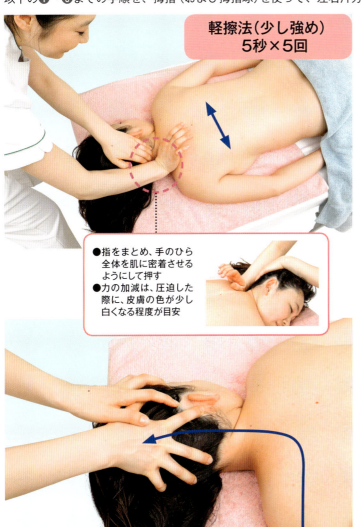

軽擦法（少し強め）
5秒×5回

● 指をまとめ、手のひら全体を肌に密着させるようにして押す
● 力の加減は、圧迫した際に、皮膚の色が少し白くなる程度が目安

❶ 首→肩→首へ、拇指球を使って少し強めの軽擦法を、5秒かけて5回行う。

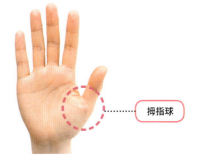

拇指球

❷ ❶のマッサージを5回した後に、肩から、頸部を経て頭部にかけてのマッサージを、10秒かけて行う。
これらの❶〜❷のマッサージを2セット行う。

軽擦法　10秒×1回

CHAPTER 3

❸ ❶〜❷のマッサージを2セット終えた後、肩から肩甲骨に沿って下方に向けて、両手の拇指で進む強擦法を、4秒かけて6回を行う。このマッサージは、左右各2セット行う。

強擦法　4秒×6回

POINT
- 肩甲骨上部（肩）周囲の僧帽筋のコリを引き伸ばすように、指先の腹を使ってほぐす。

❹ ❶〜❸までのマッサージを左右で終えたら、「PROCESS ❷ 背部のマッサージ」を行う。

「①首の付け根→腰→殿部→肩→腕のマッサージ」　軽擦法　15秒×3回

「②肩・頸部・頭部周辺のマッサージ」　軽擦法　15秒×1回（左右）

PROCESS ❹ 胸部のマッサージ

3-5

以下の❶〜❹までの手順を、手のひら全体を使って、15秒かけて3回、左右同時に素早く行う。

軽擦法　15秒×3回

❶ 胸部のオイリングをする。
　手を鎖骨から外側にスライドさせる。

❷ タオルの下で左右の乳房外側を通って肋骨側面へと手を当て、肋骨背面・乳房側面まで戻す。

＊撮影のために側面のタオルをはずしている。

褥婦の観察とケア

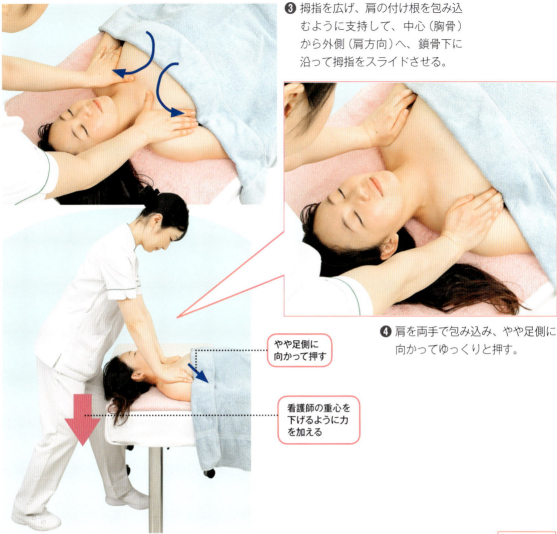

❸ 拇指を広げ、肩の付け根を包み込むように支持して、中心（胸骨）から外側（肩方向）へ、鎖骨下に沿って拇指をスライドさせる。

❹ 肩を両手で包み込み、やや足側に向かってゆっくりと押す。

やや足側に向かって押す

看護師の重心を下げるように力を加える

PROCESS ❺ 肩から頸部・頭部のマッサージ　3-6

褥婦の首をマッサージする側と反対側に向ける。手のひら全体を使って、肩から頸部・頭部のマッサージを、左右片方ずつ、10秒かけて5回行う。

軽擦法　10秒×5回

❶ 肩を包むようにして褥婦の背中に手を回し入れる。
❷ 肩甲骨から首、耳の後ろを通って頭頂部に抜けるようにマッサージする。

CHAPTER 3

PROCESS 6 頸部のストレッチ

3-7

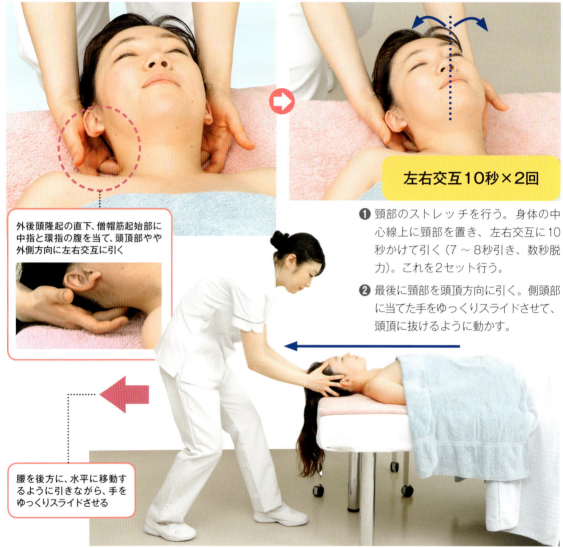

外後頭隆起の直下、僧帽筋起始部に中指と環指の腹を当て、頭頂部やや外側方向に左右交互に引く

左右交互10秒×2回

❶ 頸部のストレッチを行う。身体の中心線上に頸部を置き、左右交互に10秒かけて引く（7〜8秒引き、数秒脱力）。これを2セット行う。

❷ 最後に頸部を頭頂方向に引く。側頭部に当てた手をゆっくりスライドさせて、頭頂に抜けるように動かす。

腰を後方に、水平に移動するように引きながら、手をゆっくりスライドさせる

PROCESS 7 クロージングタッチ

3-8

最後にバスタオルの上から鎖骨下に手を置き、マッサージを終了する。

CHAPTER 4
健康な新生児の全身観察

CHAPTER 5
新生児の身体計測

CHAPTER 6
新生児の清潔ケア

CHAPTER 7
新生児の移送

新生児の観察とケア

CHAPTER 4 健康な新生児の全身観察

新生児は、子宮内から子宮外へとダイナミックな環境変化に適応する。
子宮内では胎盤・臍帯により母体に依存していた循環や代謝を、
子宮外環境では自分で行わなければならない。
子宮外生活への適応の遅れや異常は、身体が小さく予備能力の少ない
新生児に対して重篤な状態をもたらしやすい。
適宜観察を行い、適切なケアを行う必要がある。

目 的
- バイタルサイン測定、および全身観察を行い、子宮外環境への適応などについて、生理的変化や異常を早期に発見する。

適 応
- 早期新生児期（出生後7日未満）は、経日的変化をみるため、毎日、ほぼ一定の時間に観察を行う。
  ＊出生時には、新生児の詳細な観察を行う。その際には、一般状態に加えて成熟度、外表奇形や染色体異常特有の症状などについて精査する。
  本章では、健康な新生児についての全身観察の方法について述べる。外表奇形などの詳細については省略するが、見落としがないよう念頭に置きながら観察する。

環境整備

明るく、静かな環境	新生児の全身観察は、明るく静かな、落ち着いた環境を整えて行う。
室温は24～26℃	新生児は低体温になりやすいため、室温をあらかじめ24～26℃程度に保ち、保温に注意する。
空気の流れにも注意	隙間風や人の出入りによる空気の流れも新生児の体温を下げるため注意する。

＊ 原則は、新生児に留意しながら、最低限の露出に抑えながら、呼吸の観察や心拍の聴診、体温の測定などを行う。ここでは、観察位がよく分かるように、裸のまま撮影している。

新生児の観察とケア

哺乳回数や哺乳時間・間隔、哺乳意欲、排泄状況（排便、排尿回数）、発汗、嘔吐の有無、活気など、母親から情報を得ておくことで、総合的な判断が可能となる。

POINT
- 児の状態をアセスメントし、児のニーズを明らかにする。

情報収集

情報収集項目

出生後24〜48時間　母親と胎児・新生児の情報を得る。
- 在胎週数
- 妊娠中の経過
- 分娩中の経過
- 出生時の状況

出生後48時間以降　前日の健康状態や体重、前回の観察時からの生活状況などについての情報を得る。
- 哺乳回数
- 哺乳時間・間隔
- 哺乳意欲
- 排泄状態（便の性状、尿の回数、性状など）

【胎便】　【移行便（2日目）】　【移行便（6日目）】　【尿酸塩尿】

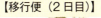

- 発汗
- 嘔吐の有無
- 活気・機嫌
- 体重の推移
- 生活リズム

CHECK! 観察時の注意点

- 新生児の状況に応じて適宜観察の順序を考えながら進める。
- 新生児の保温に注意し、不必要な露出を避ける。室温が低い場合や空気の流れがある場所で行う場合には、掛け物を利用する。
- 新生児の安静を守るため、なるべく泣かさないように観察する。睡眠中または覚醒時でも啼泣していないときは、呼吸状態や心拍数の視診・聴診から始め、体温測定などのバイタルサインを測定後、全身の観察を行う。観察は、頭部から足先に向かって行う。
- 新生児をみたときに、「何かおかしい」「いつもと違う」と感じたり、皮膚色の変化、熱感・冷感などを感じたら、適宜、バイタルサイン測定・全身観察をし、必要時には血糖値を測定し、異常の早期発見に努める。

CHAPTER 4

PROCESS 1 必要物品の準備と説明

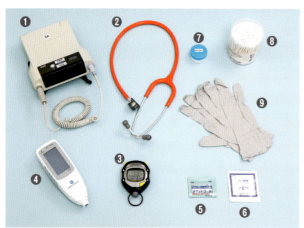

全身観察に必要な物品を準備する。

1. 体温計
2. 新生児用聴診器
3. ストップウオッチ
4. 黄疸計（経皮ビリルビン計）
5. アルコール綿
6. 清浄綿
7. ワセリン
8. 綿棒
9. 手袋（必要時）
10. 掛け物（必要時）
11. 記録用紙・筆記用具

POINT

- 母子同室の場合、母親の質問は重要。新生児の正常な生理的変化である場合は、母親と一緒に観察を行い、正常であることを説明する。
- 異常である場合は速やかに医師に報告。新生児に対して適切な処置を行う。その際、母親の心理面に十分配慮する。

看護師は、母親に新生児の観察を行うことを説明する。
新生児と母親のネームバンドが一致していることを確認する。

新生児の観察とケア

PROCESS 2 手洗い、手袋装着

手指消毒をして、手袋を装着する。

POINT
- 新生児が沐浴・洗髪を行っていない場合、羊水や血液に触れる可能性があるため、手袋を装着する。
- 新生児の低体温予防のため、出生直後は沐浴を行わない施設も増えている。

PROCESS 3 呼吸の観察

4-1

呼吸数

胸腹部の動きを視診し、呼吸数・呼吸パターンを観察し、陥没呼吸や呻吟などの呼吸窮迫症状がないかを確認する。
呼吸数は1分間測定する。
視診できない場合は、胸部に手を置いて触知したり、聴診器で測定する。

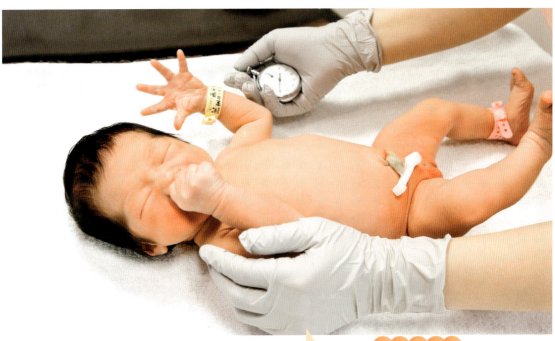

正常値
40～60回/分で、規則的な腹式呼吸がある。

POINT
- 授乳後や啼泣後は避け、平静時に呼吸状態を観察する。
- 新生児は、1回の換気量が少ないため、呼吸回数が多くなる。

CHAPTER 4

呼吸音

新生児の胸部を露出し、右の図に示した順序で聴診器を当て、呼吸音を聴診する。聴診には、聴診器の膜型のチェストピースを用いる。

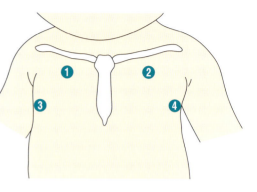

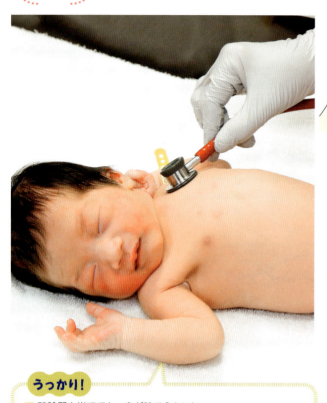

POINT

- 聴診器は、手のひらで温めてから、新生児に当てる。
- 多くの聴診器は、チェストピース（皮膚に当てる部分）が膜型とベル型の切り替え式になっている。
- 膜型は高音性の音（呼吸音など）、ベル型は低音性の音（心音など）を聴くのに適している。

うっかり！

- 聴診器を当てても、音が聴こえない！
  → チューブとチェストピースの接続部を回し、ヘッドを切り替える。
  → イヤーチップを正しい角度にする。
  → チューブ内が詰まっている場合は、聴診器を取り換える。

POINT

聴診時のポイント

- 新生児の身体にフィットするようつくられている新生児用聴診器を用いる。
- 膜型の場合は、体壁にぴったりと押し付けるが、圧迫しないよう注意する。
- 看護師の手指や新生児の衣服などが、チューブやチェストピースに触れないようにする。
- 臨床でよく聴く異常呼吸音は、ブツブツ、ブクブクという低めの粗い断続性の副雑音である。
- 多呼吸・無呼吸・チアノーゼは、継続的な観察と医師への報告が必要である。

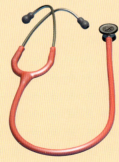

観察項目	● 胸郭・腹部の動き ● 呼吸パターン 　（努力呼吸の有無） ● 呼吸音
よく聴く 異常呼吸音	● 粗い断続性の副雑音 → ブツブツ、ブクブクという低めの音
継続観察・ 医師へ報告	● 多呼吸 ● 無呼吸 ● チアノーゼ ● 陥没呼吸 ● 呻吟

新生児の観察とケア

PROCESS 4 心拍の聴診

4-2

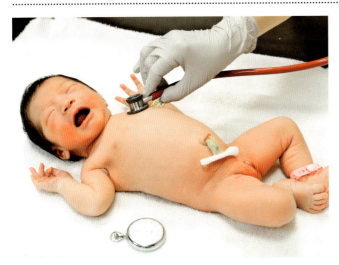

新生児の第5肋間胸骨左縁（左乳頭付近）に聴診器を当て、心拍数を1分間測定する。Ⅰ音（収縮期）とⅡ音（拡張期）を聞き分け、心音のリズムや心雑音の有無を観察する。先天性心疾患による心雑音や多呼吸、チアノーゼがあれば、継続的な観察と医師への報告が必要。

正常値
100回/分以上～160回/分未満

観察項目	● 心拍数（1分間） ● Ⅰ音（収縮期）とⅡ音（拡張期）の聞き分け ● 心音のリズム ● 心雑音 ＊健康な新生児でも一過性に、無害性収縮期心雑音が聴取されることがある。
継続観察・医師への報告	● 心雑音（先天性心疾患による場合） ● 多呼吸 ● チアノーゼ

心雑音の強さの表現（Levine-Freemanの分類）

Ⅰ度	注意深く聴取することによってのみ聴こえる最も微弱な雑音
Ⅱ度	微弱だが、聴診器を当てるとすぐに聴こえるもの
Ⅲ度	Ⅱ度とⅤ度の中間で弱い雑音。振戦を触れない
Ⅳ度	Ⅱ度とⅤ度の中間で強い雑音。振戦を触れる
Ⅴ度	大きな雑音だが、聴診器を胸壁から離すと聴こえないもの。振戦を触れる
Ⅵ度	聴診器を胸壁から離しても十分聴こえ、振戦を触れる

PROCESS 5 体温の測定

4-3

腋窩温

体温の測定部位と適切な体温計を選択する。
腋窩での測定は、最深部の腋窩動脈に体温計の先端を固定し、中枢温を推定する。
腋窩温は、ほかの測定部位の中枢温より0.5℃程度低く表示されることがある。

正常値
通常は、36.5～37.5℃

POINT
■ 予測式の電子体温計を使う場合、測定時間が短時間ですむ。
■ 羊水などをしっかり拭き取り、腋窩が乾いた状態で測定する。

CHAPTER 4

頸部温

新生児の熱産生にかかわる褐色脂肪組織や頸動脈により、頸部でも腋窩温とほぼ同じように測定できるとされている。頸動脈に近く皮膚が重なり合う部位に体温計の先端を固定し、中枢温を推定する。

正常値 36.5～37.5℃

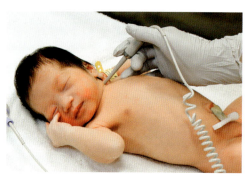

直腸温

直腸温は中枢温として、正確な値を示すことが多い。新生児を仰臥位にし、両下肢を持って肛門に体温計を挿入する。この際、体温計とベッドが水平になるようにする。挿入深度が測定温に影響する。また、排泄物により体温計汚染の可能性があるため、注意する。

POINT
- 不意な体動による直腸損傷・体温計破損を避けるため、測定中は体温計と下肢を把持し、児の体動に逆らわないようにする。

CHECK! 中枢温を正しく測定するために

褐色脂肪組織による熱産生

新生児は、寒冷環境下において褐色脂肪組織による熱産生を行っている。褐色脂肪組織は頸部、肩甲間部に存在するため、この部位の皮膚温は寒冷環境下でも直腸温と同様の下降を示さず、高温を維持する（warm nape phenomenon）。

頸部で体温を測定し、触れて温かいと感じても、環境によっては中枢温が下がっている可能性がある。体温測定をした際には、新生児の身体に触れ、冷感を感じる場合には他の部位で再度測定をすることが大切である。

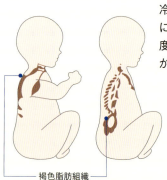
褐色脂肪組織

頸部での体温測定の意義

堀田ら（文献1）は、生後1か月から3歳未満児における頸部、腋窩、鼓膜温での体温測定の手技・測定値について検討している。頸部における検温は「総頸動脈上にプローブを当てる」としており、この再現性は低かったとしている（検者・対象により正確な部位での測定ができない）。

測定値については、「頸部温・腋窩温・耳内温の平均値の差はなかった」と報告している。

小児における頸部測定の意義として、衣服の着脱が不要であること、睡眠など児の安静を妨げにくく、簡便で迅速に体温測定ができることを挙げている。

うっかり！
- 体温計を新生児とベッドシーツの間に挿入した！
→ 背部の皮膚温を測っているのか、シーツの温度を測っているのか不明。正しく中枢温が測れるよう、適切な測定部位と体温計を選択する。

新生児の観察とケア

PROCESS 6 全身の観察

4-4

全身像

全身の観察では、関節の可動域、筋肉、皮膚の状態などをみる。普段の生活のなかでも啼泣や運動、皮膚の状態、易刺激性などを適宜、観察する。

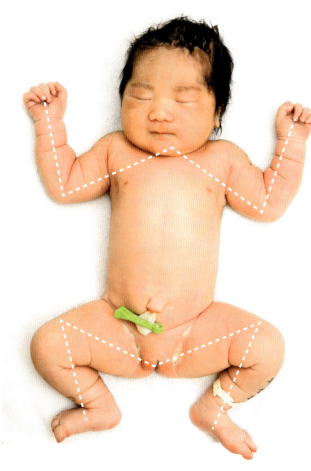

はじめに、新生児に触れる前に全身を観察する。外観、左右対称性、四肢の緊張、姿勢および均衡性、皮膚の異常、上腕神経叢麻痺の疑いがないかを観察する。全身像は新生児が仰臥位をとったときの全身の状態を視診する。
姿勢は「WM型」をとる。

姿勢は？　自発運動は？　啼泣は？

POINT
関節可動域について
- 骨盤位で出生した新生児は、子宮内での姿勢の影響により股関節や膝関節が伸展していることもある。
- 出生直後の観察で関節可動域を確認してある場合は、その後は無理に可動させなくてもよい。

黄疸

4-5

黄疸計
（経皮ビリルビン計）

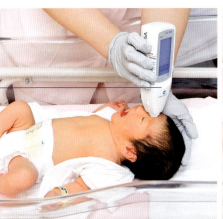

全身の皮膚の色調を視診し、黄疸の進行具合と程度を観察する。黄疸計を顔や胸腹部に当て、経皮的ビリルビン値を測定する。経皮的に測定した値は、あくまでも血清ビリルビン値の推定値である。出生体重・日齢と測定値を併せて検討し、必要時は、医師に報告する。

CHAPTER 4　健康な新生児の全身観察

CHAPTER 4

POINT OUT

黄疸の観察と血清ビリルビン値

新生児の生理的黄疸の進行は、
区域による広がりで観察する(クラマー法、秋山-中村法)。
以下に、出生から5日目までの新生児の皮膚の色調変化(例)を示す。
経皮的ビリルビン値は出生体重・日齢と併せて検討し、
必要時は、医師に報告する。
医師は採血により血清ビリルビン値を測定し、
高ビリルビン血症の場合は治療(光線療法、交換輸血)を行う。

新生児の皮膚の色調変化(例)

0日目

1日目

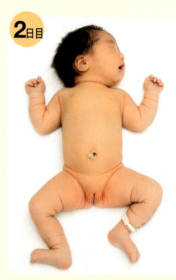
2日目

新生児の生理的黄疸の進行

新生児の生理的黄疸の進行は、クラマー法、秋山-中村法ともに、身体区域による広がりで観察する。

身体区域

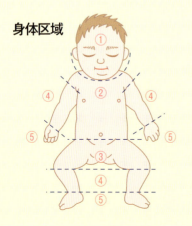

クラマー法
身体を①頭部・頸部 　　　②躯幹の臍から上 　　　③腰部・下腹部 　　　④膝から足関節、上腕から手関節 　　　⑤四肢末端 の5つの区域に分け、区域④以上、すなわち膝・上腕から末梢にかけて黄疸を認めたときに採血を行うとよいとされる。

秋山 - 中村法	
―	黄色なし
+	顔面・胸部の黄色
++	腹部・四肢の黄色
+++	四肢・手掌・足蹠の黄色
++++	全身黄色著明

新生児の観察とケア

健康な新生児の全身観察

黄疸計（経皮ビリルビン計）

生理的黄疸は、視診により皮膚の色調を観察するとともに、黄疸計を顔面や胸腹部に当て、経皮的ビリルビン値を測定する。

3日目

4日目

5日目

光線療法開始のための暫定基準案（都立母子保健院）

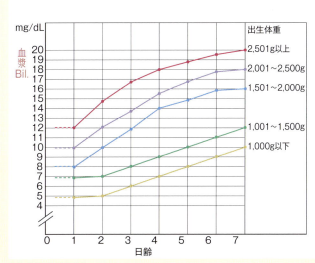

出典：文献2をもとに作成

視診による観察、経皮的ビリルビン値を出生体重・日齢と併せて検討し、必要時に医師は採血により血清ビリルビン値を測定する。
血清ビリルビン値が左記基準を超えた場合に光線療法が開始される。

【注】出生当日を日齢0とする。
下記の因子のいずれかが存在するときには、一段低い基準線を越えたときに光線療法を考慮する。
- 新生児仮死
- 新生児溶血性疾患
- アシドーシス（pH≦7.25）
- 呼吸窮迫
- 低体温（35.0℃以下）
- 低血糖
- 感染症
- 低蛋白血症（血漿蛋白≦5.0g/dL）

CHAPTER 4

頭部・顔面

4-6

POINT
- 頭血腫と産瘤の違いに注意する。

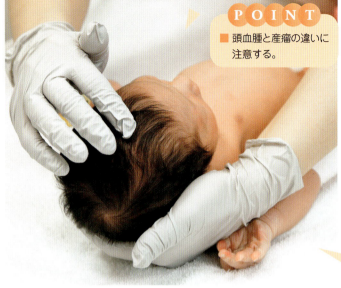

❶ 一方の手で新生児の後頭部を支える。殿部はベッドにつけたまま、上体のみを起こし、もう一方の手で頭部全体を触診する。同時に、皮膚欠損など頭皮の異常がないかを視診する。

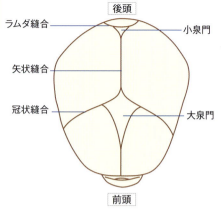

後頭 — ラムダ縫合、小泉門、矢状縫合、冠状縫合、大泉門、前頭

POINT
- 後頭部の腫脹、皮膚色の変化は帽状腱膜下血腫の恐れがあり、出生後数時間で出血性ショックを起こすことがある。

❷ 耳の観察では、耳の位置や耳介の変形、副耳や瘻孔（耳瘻腔）の有無などを確認する。

❸ 啼泣して口をあけた際に、口腔内を観察し、口蓋裂、先天歯（魔歯）の有無などを確認する。

観察項目	
頭部	泉門、骨縫合、頭血腫と産瘤
顔面	表情、皮膚色、目脂、眼・耳・鼻の位置・形状、口唇裂、顔つき
口腔	口蓋裂、先天歯（魔歯）、上皮真珠（エプスタイン真珠）、舌小帯短縮

新生児の観察とケア

CHECK! 産瘤と頭血腫の違いは？

分娩の際、児頭は産道により圧迫され、頭蓋骨の重積（骨重積）を起こす。この際、圧迫による血行障害によりうっ血、浮腫が起こることが多い。これが産瘤である。骨重積、産瘤ともに生後1～2日のうちに消失する。一方、頭血腫は、分娩時の頭蓋圧迫により頭蓋骨骨膜下の血管から出血が起こり、形成される。消失に時間がかかることが多い。

産瘤と頭血腫の比較		
	産瘤	頭血腫
出現時期	分娩直後	生後2～3日
出現部位	児頭先進部（頭頂後部）	児頭先進部が多いが限定されない
縫合線との関係	縫合線を越えうる	縫合線を越えない
波動	なし	触知されることが多い
消失時期	生後2日目まで	消失に時間がかかり、生後1か月以上、消失しないことも多い

出典：文献3をもとに作成

CHECK! 神経反射の観察

全身の観察の際には、神経学的所見として、モロー反射や吸啜反射、原始歩行、把握反射などを観察する。モロー反射では左右差の有無も確認する。

●モロー反射

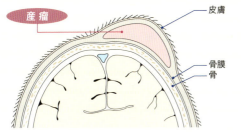

音の刺激などを受けると、上肢を大きく開き、抱きつこうとする。

●吸啜反射

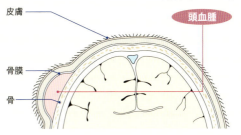

口元に指や乳首などを持っていくと吸いつく。

●原始歩行

足が何かに触れると、足を交互に動かして歩くような動きをする。

●把握反射

手のひらに刺激を受けると、強く握り返す。

●探索反射

頬や口に触れるものがあるとその方向に頭を向ける。

CHAPTER 4

胸部・腹部 4-7

❶ 胸部から腹部にかけての形態、呼吸運動、臍および臍周囲の視診を行う。

POINT
- 下肢に掛け物をかけると、新生児が落ち着いていることが多い。
- 排泄物で汚染されることがあるので注意する。

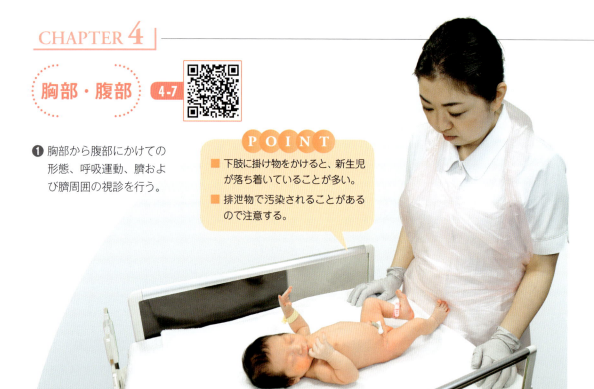

❷ 鎖骨に指腹を当て、滑らせるように触診し、鎖骨骨折の有無を確認する。

EVIDENCE
- 鎖骨骨折は肩甲難産や骨盤位分娩の場合にみられる。骨折があると段差や握雪感がみられ、モロー反射が片側のみ消失する。
- 骨折があるときは患側の上肢を動かさない。

❸ 腹部の触診を行う。新生児の両足を一方の手で少し持ち上げもう一方の手で触診する。あるいは、一方の手に力を入れずに、もう一方の手でその手を押して触診してもよい。
新生児の腹筋は柔らかいため、強く押すと内臓を損傷するので気をつける。

POINT
- 強く押さないよう注意。

観察項目
- 皮膚の状態（臍周囲、落屑・新生児湿疹など）
- 鎖骨骨折の有無
- 腹部膨満、陥没、腫瘤、腹直筋離開の有無
- 腸蠕動音
- 季肋部下方1～2cmで肝臓を触知

新生児の観察とケア

上肢

上肢の動かし方が左右対称であるか、筋緊張があるか、振戦や痙攣がみられないか、骨折がないかを観察する。指を1本ずつ確認し、合指症や多指症、手掌の猿線の有無を観察する。

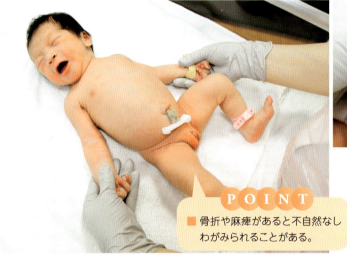

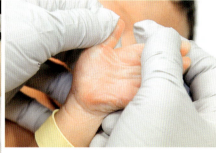

POINT
■ 骨折や麻痺があると不自然なしわがみられることがある。

観察項目
- 皮膚の状態（新生児湿疹、落屑など）
- 冷感
- 骨折の有無
- 左右対称で屈曲姿勢

背部・殿部 4-3

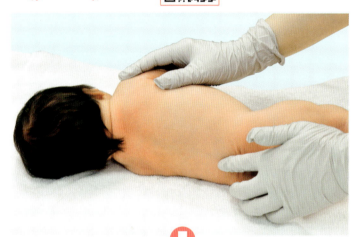

❶ 新生児の腕と腰に左右の手を当て、ゆっくりと側臥位にし、背部の視診を行う。さらに脊柱に沿って指を動かし、胸椎や腰椎の形態を確認する。

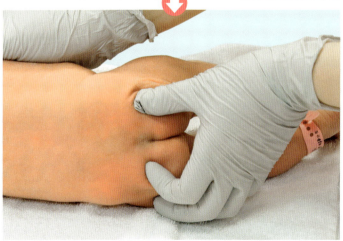

❷ 殿部を視診し、皮膚洞がないかなどを視診する。

観察項目
- 皮膚の状態
- 皮膚洞の有無
- 鎖肛の有無

CHAPTER 4

下肢・外陰部

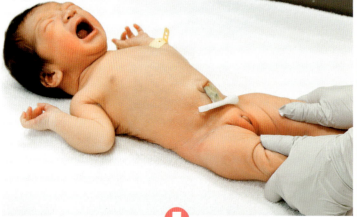

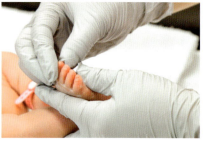

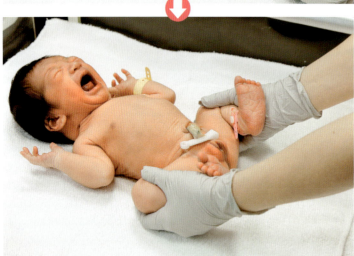

❶ 下肢を観察し、新生児湿疹や落屑など皮膚の状態、冷感、指の合指症・多指症・内反足などを観察する。

❷ 股関節を開排し、可動域制限の有無（股関節脱臼の有無）を観察する。
さらに鼠径部から外陰部にかけての皮膚の状態、発赤・発疹の有無などを観察する。
男児の場合、陰嚢に睾丸が下降しているかをみる。

観察項目	●開排制限（オルトラーニ法） ●大腿部、膝窩のしわの対称性 ●内反足 ●外性器奇形（精巣[両側]、外尿道口の位置） ●腫瘤の有無

肛門

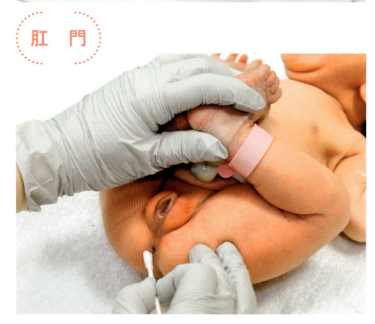

綿棒を使って肛門の開口を観察し、肛門・直腸の閉鎖や狭窄がないかや、鎖肛の有無を確認する。
確認では、ワセリンまたはオリーブ油などを浸した綿棒を2cm程度挿入する。

観察項目	●肛門・直腸の閉鎖や狭窄の有無 ●鎖肛の有無

CHAPTER 5 新生児の身体計測

本章では、身長・体重・頭囲・胸囲の測定について解説する。
出生直後の新生児は低体温になりやすいため、
測定時は保温に注意し、不必要な露出を避けることが大切である。

目的

1. 出生時に身体計測を行うことによって、母体内における発育状態を評価する。また、その後の発育状態を評価する基準とする。
2. 測定値と標準値との比較から、異常を予測し早期発見する。

適応

- 出生直後は身長・体重・頭囲・胸囲を測定する。その後、退院までは毎日、体重測定する。

＊ 出生証明書には身長・体重を、母子健康手帳には身長・体重・頭囲・胸囲を記載する。

環境整備

明るく、静かな環境
新生児の身体計測は、明るく静かな、落ち着いた環境を整えて行う。

室温は24～26℃
室温は24～26℃程度とする。特に、出生直後の新生児は低体温になりやすいため、分娩台で休んでいる母親のそばで行う際は、室温を高めにする。

空気の流れにも注意
隙間風や人の出入りによる空気の流れも、新生児の低体温の原因になる。インファントウォーマーで行う場合は、あらかじめ加温しておく。

情報収集

出生直後
在胎週数、妊娠中の経過、分娩中の経過、出生時の状態などについて、母親と胎児・新生児の情報を得る。

日齢1以降
前日の体重、健康状態、哺乳、排泄などについて情報を得る。

CHAPTER 5

PROCESS ① 必要物品の準備と説明

① 体重計
② ビニールエプロン
③ 手袋
④ アルコール綿
⑤ メジャー
⑥ 身長計
⑦ 砂嚢
⑧ タオル・掛け物（必要時）
⑨ 記録用紙・筆記用具

POINT
- デジタル体重計は精密機器である。定期的に点検を受ける。

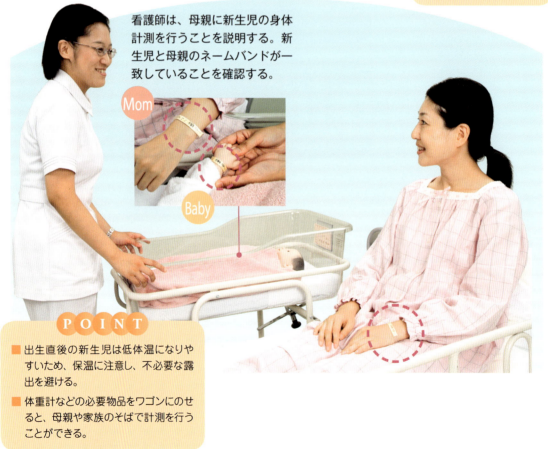

看護師は、母親に新生児の身体計測を行うことを説明する。新生児と母親のネームバンドが一致していることを確認する。

POINT
- 出生直後の新生児は低体温になりやすいため、保温に注意し、不必要な露出を避ける。
- 体重計などの必要物品をワゴンにのせると、母親や家族のそばで計測を行うことができる。

PROCESS ② 手洗い、手袋装着

看護師は計測前に石けんと流水で手を洗うか、アルコール製剤で手指消毒し、手袋を装着する。器具は使用前後にアルコール綿で消毒する。

新生児の観察とケア

PROCESS ③ 体重の測定

"0"を確認

❶ 体重計を水平な場所に置く。
　風袋で"0"であることを確認し、あらかじめ重さが分かっている砂嚢をのせて正確に測定できることを確認する。

❷ タオルなどを敷いて、再度風袋で"0"であることを確認する。

POINT
- 児と体重計が直接触れないようにする。
- タオルは、児ごとに交換する。

❸ 一方の手で新生児の後頸部を、もう一方の手で殿部を支える。拇指は左鼠径部にかけ、残り4指で殿部を包み込むように支えて抱き上げ、体重計に殿部から下ろす。

❹ 新生児から目を離さず、すぐに支えられる位置に手をかざす。

体重計には触れない

体重計の左側に頭部がくるようにする

POINT
体重の評価
- 日齢・哺乳状態を考慮しても、体重が前日と大幅に異なる場合は、確認のため2回測定する。
- 日齢・哺乳状態、排泄状態を総合し、生理的体重減少率を算出する。
体重減少率(%)＝(出生時体重－本日の体重)／出生時体重×100

PROCESS ④ 身長の測定

■メジャーによる計測

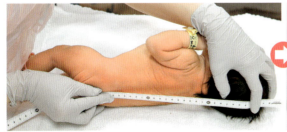
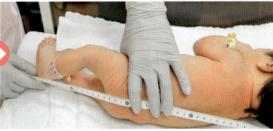

❶ 一方の手でメジャーの0点を頭頂部に当て、もう一方の手でメジャーを持ち、仙骨部を押さえる。

❷ 仙骨部のメジャーをずらさないよう手を置き換え、メジャーを持ち、下肢を伸ばした状態をとって、足底部(踵部)で目盛を読み取る。

CHAPTER 5

■身長計による計測

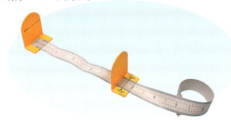

❶ 身長計の足板を広げ、薄い布（沐浴布など）を敷いて準備を整える。

POINT
- 児の両手を挙上させながら頭部を固定すると安定する。

POINT
- 新生児の下肢を強く伸展させないよう注意する。特に、分娩時の体位が骨盤位であった児は、子宮内での姿勢により下肢の過伸展、股関節の過外転などがみられる場合がある。

❷ 補助者が、新生児の頭頂部を固定板に固定する（耳孔と眼を結ぶ線が垂直になるようにする）。

❸ 検者は、新生児の躯幹をまっすぐに伸ばし、両膝関節を上から押さえるように伸展させて固定する。足板を足底部に当て測定値を読み取る。

PROCESS 5 胸囲の測定

5-3

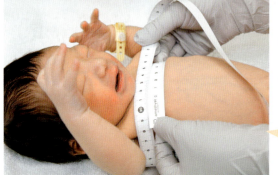

児を仰臥位に寝かせる。児の後頸部を支えて上体を持ち上げ、メジャーを通す。
両乳頭上、肩甲骨直下を通過するよう、ぴったりとメジャーを巻き、呼気時に目盛を読み取る。
計測後は、上体を持ち上げ、メジャーを抜く。

POINT
- メジャーを抜くときは、無理に引き抜いて新生児の皮膚を傷つけないよう注意する。

新生児の観察とケア

PROCESS 6 頭囲の測定

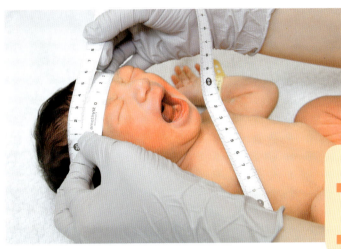

児を仰臥位に寝かせる。児の後頭部を支えて頭部を持ち上げ、メジャーを通す。眉間と後頭結節を通るようにメジャーを巻き、目盛を読み取る。
計測後は、後頭部を支えて頭部を持ち上げ、メジャーを抜く。

POINT
身体計測の終了後
- 使用物品は、感染症がなければ、消毒用アルコール綿による清拭を行う（施設の取り決めに従う）。
- 看護師は手洗いを行い、観察内容を記録する。

CHECK! 身体計測の平均値

肩幅、肩甲周囲、腹囲、腰囲、児頭各部（小横径、大横径、前後径、小斜径、大斜径、大泉門径など）を計測する場合もある。
各計測部位と正期産児の平均値は次の通りである。
計測には、児頭計測器、ノギス、メジャーを用いる。

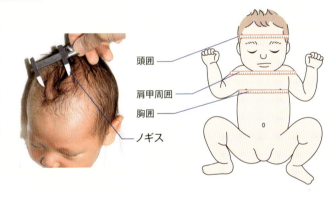

計測部位		平均値
体重		3,000g前後
身長		49〜50cm
頭囲	眉間と後頭結節を通る周囲径	約33〜34cm
胸囲	両乳頭と肩甲骨直下を通る周囲径	約32cm前後
肩幅	左右の肩峰間距離	約11〜12cm
肩甲周囲	左右の肩峰直下約1cmの上腕部を通る周囲径	約34cm
小横径	左右冠状縫合間の最大距離	約7cm
大横径	左右頭頂骨結節間の距離	約9cm
前後径	眉間と後頭結節間の最大距離	約10.5〜11cm
小斜径	大泉門中心と項窩（後頭結節後下方の陥凹部）間の距離	約9cm
大斜径	頤の先端と後頭間の最大距離	約13cm
大泉門径	大泉門を構成する頭頂骨と前頭骨の対辺中央間の距離	約1〜2cm×約1〜2cm

体重・身長・頭囲・胸囲は、乳幼児身体発育値（平成12年 乳幼児身体発育調査報告書. 厚生労働省雇用均等・児童家庭局母子保健課）より

CHAPTER 6 新生児の清潔ケア

新生児の清潔ケアは、保清だけでなく、全身観察の機会*でもある。
同時に、母親が新生児の全身に触れる大切な機会となる。
新生児のケアは安全に、
そして、心地よくなるよう行うことが大切である。
新生児特有の反射や身体的特徴(頸の座り、臍部)に注意して行う。

＊ CHAPTER4参照

目 的
1. 皮膚を清潔に保つ。
2. 血液の循環をよくする。
3. 新陳代謝を盛んにする。
4. 食欲を増進させる。
5. 全身の観察を行う。
6. 親子の交流を図る。
7. 安眠を促す効果がある。

適 応
1. 清潔ケアは、定期的に全身観察と併せて実施する。
2. 成人よりも体温維持機能が未熟なため新生児の負担にもなるため、児の体調、哺乳との関連を考慮して方法やタイミングを選択する。

＊ 出生直後は、羊水・母親の血液を拭き取り、母子の肌を密着させることにより、母親の皮膚の正常細菌叢が新生児に移行し、感染防御の役割を果たす。この点を考えると児の保清は、個別に母親の手で実施されることが望ましい(文献1)。

環境整備

室温は24〜26℃
あらかじめ、室温は24〜26℃程度に、湿度は50〜60％に保つ。

空気の流れに注意
隙間風があったり、人の出入りで空気の流れがあると、新生児の体温が低下するので注意する。

明るい環境
明るく静かな環境を整える。沐浴法を選択する場合は、給湯設備に近い場所が好ましい。

新生児の観察とケア

CHECK! 新生児の熱の喪失、皮膚の特徴

新生児の清潔ケアを行う際には、低体温を防止し、皮膚の障害を防ぐため、以下の点に留意する。

- 新生児は、次の4つの形で熱を喪失する（文献2）。
  1. 伝導：児と接する物体への喪失
  2. 対流：児の周囲にある空気の流れによる冷却
  3. 蒸散：児の皮膚からの水分蒸発により、潜温を喪失
  4. 輻射：児と接触していない最も近い物体への喪失
- 低い湿度環境下では、不感蒸泄が増えるだけでなく、体温調節の意味でもマイナスとなる。正しい温度管理のためには、40％以上の湿度が必要となる（文献3・4）。
- 新生児の皮膚は非常に薄く、容易に障害を受けやすい（文献5）。

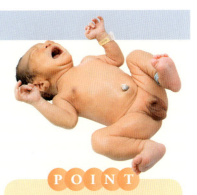

POINT 新生児・乳幼児の皮膚の特徴 文献6）

- 皮膚が薄い→機械的刺激に弱い
- 皮膚表面の皮脂が少ない
- 角質層の水分保持量が少ない
- 表皮のターンオーバー、特に角質層ターンオーバーが短い
- 汗腺密度が高い→単位面積当たりの発汗量が多い

CHAPTER 6 新生児の清潔ケア

ドライテクニック（乾燥法）

ドライテクニックとは、胎脂を取り除かずにできるだけそのままにしながら、出生時に付着した血液・羊水・胎便などを取り除く手法である。

出生直後の沐浴からドライテクニックに変更することで、「児の低体温の予防ができる」「胎脂を取り除くことによる皮膚への刺激を減らすことができる」「生理的体重減少からの回復が促進される」などのメリットが指摘されており、生後4～6日まではドライテクニックが推奨されている。

目的
1. 生後間もない児の皮膚を保護する。
2. 新生児の外界への自然な適応を促進する。

適応
- 生後0日から少なくとも生後4日までの新生児

CHECK! 胎脂の役割
1. 水分の保持機能
2. 抗細菌性のバリア機能
3. 抗酸化作用
4. 保湿機能
5. 清潔・消毒機能
6. 傷の修復作用

（文献7）

実施時のポイント
1. 新生児用ベッドもしくは新生児用処置台など、安定した場所で実施する。
2. 授乳直後は避ける。また、授乳時間と重ならないように実施する。新生児の全身観察と併せて実施する場合には、その時間も考慮する。
3. 先天性代謝異常、血清ビリルビン値、血糖値などの測定のために採血を実施した場合は、止血の状態をよく確認してからケアを実施する。絆創膏の粘着剤が付着している場合は、こすらずにていねいに除去する。

CHAPTER 6

PROCESS 1 必要物品の準備

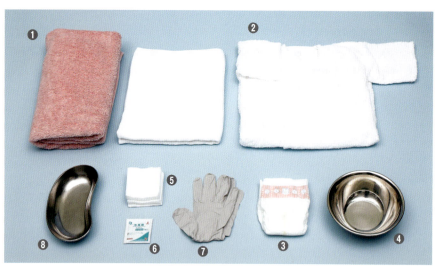

❶ バスタオル（2枚）
❷ 着替え用肌着・衣服
❸ 紙オムツ
❹ 洗面器
❺ 綿花
❻ 臍消毒用アルコール
❼ 手袋
❽ 膿盆

PROCESS 2 汚れた部位の観察と着替えの準備

❶ 全身の健康診査を終えた児に対して、観察時に汚れていた部位（分娩時に付着した母体血液や羊水、授乳や排泄時に付着した汚れなど）を確認し、部位に応じた清潔ケア方法を選択・準備する。

POINT

- 頭部や皮膚が接している部位（頭部、耳介の裏、頸部、腋窩、鼠径部、殿部など）には汚れが付きやすいので注意する。
- 汚れている部位がなければ、更衣・オムツ交換をして、消毒用アルコールで臍部を消毒し、終える。

❷ 新しい着替え用肌着と衣服、オムツを重ねて、すぐ着替えられるように準備する。臍消毒用アルコールはすぐにとれる場所に置く。

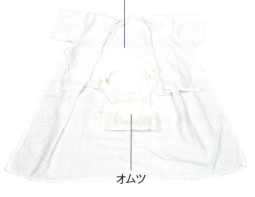

着替え用肌着
オムツ

CHECK! 部位に応じた清潔ケアの準備

- 頭部→p96「部分浴」参照
- 腋窩・鼠径部など→洗面器、綿花、38℃程度の湯
- 殿部→p96「部分浴」参照

新生児の観察とケア

PROCESS 3 ドライテクニックの実施（腋窩を拭く場合）

❶ 児を安全な場所に寝かせ、バスタオルをかける。実施者は手洗いを行い、手袋を装着する。

❷ バスタオルを用いて不要な露出を避けながら、児の肌着と衣服を脱がす。

❸ 洗面器の湯で湿らせた綿花を軽く絞り、腋窩の汚れをやさしく拭く。皮膚は強くこすらない。

❹ 余分な水分をバスタオルで押さえ拭きする。

❺ 新しい着替え用肌着と衣服、オムツに着替えさせる。

❻ 清潔な手袋に換えて、臍消毒用アルコールで臍の消毒を実施する。

CHAPTER 6 新生児の清潔ケア

CHAPTER 6

沐　浴

6-1

沐浴は、汗疹・湿疹などから新生児の皮膚を保護し、清潔を保つだけでなく、生理機能を促進し、母子のスキンシップを深める。

一方、沐浴による児の体力消耗・体力低下など、マイナス作用をもたらすこともある文献8)。

児の状態を把握したうえで、ケアを行う。

また、退院後、児の清潔ケアを行うのは家族であるため、自宅でも実施可能となるよう支援する必要がある。

近年、新生児の沐浴法が見直され、新生児の肌に負担をかけない方法としてやさしく指の腹でなでるように洗う、皮膚に石けん分を残さず十分に洗い流す、沐浴後の保湿を行うなどの方法が導入されつつある。

目的
1. 児の皮膚の清潔を保ち、新陳代謝を促す。
2. 児の血液循環を促す。
3. 児の哺乳意欲を増し、熟眠を誘導し、発育を助長する。
4. 児の清潔習慣の確立を促す。
5. 母子のスキンシップを図り、愛着形成の確立を促す。
6. 児の生活リズムの確立を促す。

適応
- 全身状態が安定している新生児。

不適応
- 発熱（37.5℃以上）
- 空腹時
- 低体温（36.5℃未満）
- 哺乳直後
- その他、児の状態が不安定なとき

環境整備
1. 室温24〜26℃程度、湿度50〜60％に調節する。隙間風のある部屋、冷暖房機の吹き出し口や窓辺は、気温の変化が大きいため避ける。
2. 沐浴槽やベビーバスが清潔であることを確認する（使用前後に洗浄）。
3. 周囲の物が倒れたり、上から物が落ちてこない安全な場所を選ぶ。
4. 実施者は児の皮膚を傷つけないように爪を切り、指輪や時計をはずし、流水と石けんで手を洗う。
5. 児の生活リズムをつくるため、沐浴する時間を一定にする。
（冬季は午前10時〜午後2時、夏季は午前10時まで。もしくは午後4時以降）
6. 沐浴に使用する湯の温度は38℃程度に調節する（文献9）。

新生児の観察とケア

PROCESS 1 必要物品の準備

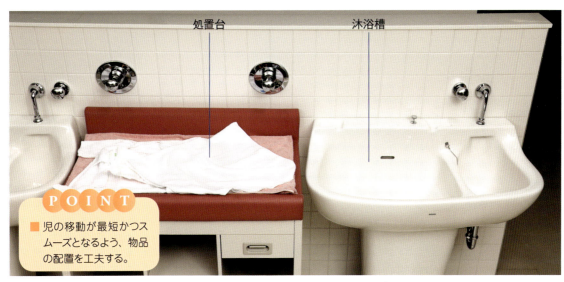

POINT
- 児の移動が最短かつスムーズとなるよう、物品の配置を工夫する。

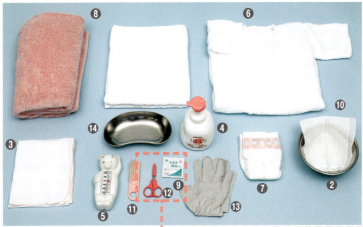

1. 沐浴槽・ベビーバス
2. 洗面器(顔清拭用)
3. 沐浴布(必要時)
4. ベビー用ボディソープ(泡状)
5. 湯温計
6. 着替え用肌着・衣服
7. 紙オムツ
8. バスタオル
9. 臍消毒用アルコール
10. ガーゼ
11. ヘアブラシ
12. 爪切り
13. 手袋(必要時)
14. 膿盆

POINT
- 泡状のベビー用ボディソープを使用する。固形や液体のベビー用ボディソープを用いる場合はよく泡立てて使用する。
- ベビー用ボディソープは「低刺激」『弱酸性』『無香料』『無着色』『防腐剤無添加』『アレルギーや皮膚刺激テスト済み』」のものが望ましい(文献10)。

POINT
- 爪切りや臍処置は、沐浴など清潔ケアの際に行うとよい。

CHECK! 沐浴は手早く、効果的に

沐浴は皮膚の清潔を保ち、血液循環・新陳代謝をよくする効果がある半面、体温喪失・体力消耗の危険性もある。
沐浴は児の空腹時・満腹時を避け、授乳と授乳の間(授乳後1～2時間)に、短時間で実施することが望ましい。

沐浴法(温浴法)の長所・短所	
長所	短所
● 清拭法より汚れが落ちやすい。 ● 血液循環をよくする。 ● 新陳代謝を盛んにする。	● 体温喪失、体力消耗が起こりやすい。 ● 皮膚の自浄作用を低下させることがある。

CHAPTER 6 新生児の清潔ケア

CHAPTER 6

衣類の準備 衣類は処置台に、衣服→肌着→オムツ→バスタオルの順に、重ねて準備する。

バスタオル

処置台に衣類・バスタオルを重ねて準備

PROCESS 2 沐浴槽に入れる

38℃程度

沐浴布で覆う

❶ 実施者は手洗いを行い、適温の湯（38℃程度）を用意する。

❷ 新生児の衣服を脱がせ、全身をすばやく観察する。排泄物がある場合は陰部・殿部を清拭する。児の両腕と胸部を覆うように沐浴布をかける。

新生児の観察とケア

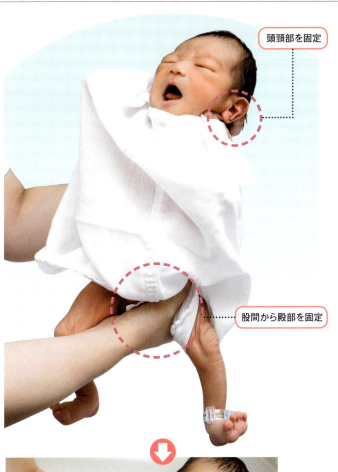

頭頸部を固定

股間から殿部を固定

❸ 実施者は、左手の拇指・示指で児の頭頸部を固定し、右手で股間から殿部を固定して、抱き上げる。この際、耳孔を塞ぐ必要はない。

POINT

- 新生児は定頸していないため、後頭部から背部にかけて手のひらで支えると安定しやすい。
- 殿部は手のひらで、鼠径部に拇指を添えるようにして固定する。
- 頭頸部は必ず、拇指・示指で支える。手のひらにのせるだけの保持は、不安定なので避ける。

CHAPTER 6 新生児の清潔ケア

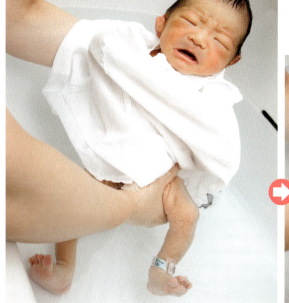

❹ 児の足部・殿部の順に、ゆっくりと湯につける。

❺ 児の股間から殿部に当てていた右手をはずし、児の全身にやさしく湯をかける。

CHAPTER 6

PROCESS ❸ 顔面を洗う

6-2

洗面器の湯で絞ったガーゼ

POINT
- 眼の周囲：眼瞼・睫毛・眉を軽く押さえるように拭く。
- 眉毛は、眉尻から眉頭に向かって軽く押さえるように拭く。

❶❷ 洗面器に適量の湯を入れ、ガーゼを浸し、片手で手のひらに握り込んで軽く絞る。眼→顔→頭→耳の順にガーゼで軽く押さえるように拭く。こすらずやさしくなでるように行う。
　眼瞼・睫毛はガーゼを内眼角に当て、外眼角に向かって軽く押さえるように拭く。適宜ガーゼを洗面器内の湯でゆすぐか、当てる面を変える。

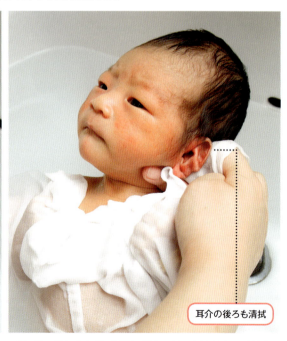

3の字

耳介の後ろも清拭

❸ ガーゼで軽く押さえながら、額→頬上部、小鼻で折り返し、頬下部→顎の順に3の字を描いて、片側ずつ拭く。

❹ ガーゼをゆすぎ、示指に巻きつけて耳をやさしく拭く。耳介の溝や、耳介の後ろも軽く押さえるように拭く。

新生児の観察とケア

PROCESS 4 頭部を洗う

6-3

- 顔に湯が垂れないよう注意
- 後頸部の固定を保つ

❶ 湯に浸したガーゼまたは手のひらを使って頭部全体をぬらす。

- よく泡立てる
- 終了まで保持したままで

❷ 右手にボディソープをとる。液体のベビー用ボディソープの場合はよく泡立てる。

- ボディソープで洗う

❸ 泡立てたボディソープを頭部につけて、指の腹でやさしくなでるように洗う。

❹ 湯に浸したガーゼまたは手指で、石けん分をやさしく洗い流す。

ギュッ

❺ ガーゼを湯でゆすぎ、ギュッと絞る。

- 水分をとる

❻ 絞ったガーゼで頭髪を押さえ拭き、十分に水分をとる。

CHAPTER 6 新生児の清潔ケア

83

CHAPTER 6

PROCESS 5 全身を洗う

6-4

頸部

沐浴布をずらして頸部を露出し、ベビー用ボディソープを右手にとって、指腹でなでるように洗う。

❶❷ ボディソープを右手にとって泡立て、拇指と示指の指腹を使って、頸部を洗う。側頭部から前頭部に向かって指を閉じるようにする。

❸ 指の腹、またはゆすいだガーゼでこすらずやさしく石けん分を洗い流す。

> **うっかり!**
> ■ 児頭を固定している手があるため、後頭部が洗えなかった!
> → 背中を洗う際、忘れずに後頭部も洗う。

上肢

ベビー用ボディソープを右手にとり、肩〜手首に向かって軽く握った手を回転させながら洗う。

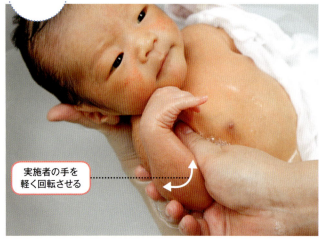

実施者の手を軽く回転させる

甲を押すと拳が開く

❶ ボディソープを右手にとって泡立て、上肢を洗う。肩から手首に向かって、実施者の手を軽く回転させながら洗っていく。石けん分は、すぐに手指かゆすいだガーゼでこすらず洗い流す。

❷ 実施者は、ボディソープを右手で泡立て、児の拳を開かせて洗う。
実施者の示指を児の小指側に入れながら、拇指で手の甲を圧迫すると開きやすい。石けん分は湯に手をつけて落とす、または、ゆすいだガーゼでやさしく洗い流す。

新生児の観察とケア

胸部・腹部

沐浴布をはずし、胸腹部を露出する。ベビー用ボディソープを右手にとり、手のひらで丸くなでるように洗う。

❶ 沐浴布で両上肢・両肩・頸部を覆い、胸腹部を露出して洗う。
実施者の右手にボディソープを泡立て、手のひらで丸くなでるように洗う。

❷ 石けん分はゆすいだガーゼで、やさしく洗い流す。

PROCESS 6 腹臥位にする

右手4指を左腋窩に入れる

手首に顎をのせる

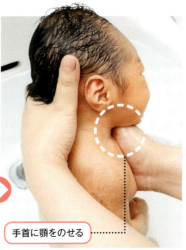

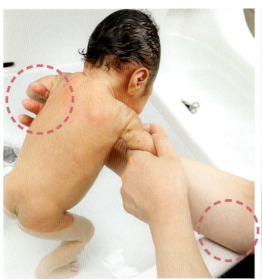

腹臥位

❶ 背部を洗うため、腹臥位にする。まず、左手で児の頭頸部を支えたまま、右手4指を児の左腋窩に入れ、拇指を児の左肩にかけて支える。

❷ 児の顎を実施者の右手首にのせ、ゆっくりと上体を起こす。

❸ 右手で児の左腋窩から左肩にかけて支えながら、児の顎を右手首にのせてうつむきにし、後頸部を支えていた左手をはずす。

❹ 児の両腕・顎を実施者の右手首にのせて腹臥位にし、左手を児の背部に当てて安定させる。

CHAPTER 6 新生児の清潔ケア

CHAPTER 6

COLUMN　　　　　体位変換のバリエーション：側臥位にする

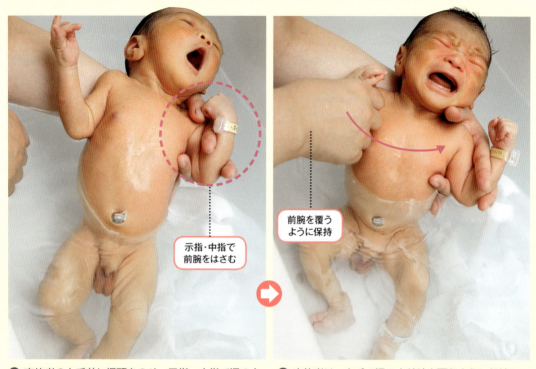

❶ 実施者の左手首に児頭をのせ、示指・中指で児の左肩を支えた状態で沐浴している場合は、児を側臥位にするほうが、スムーズに背部を洗うことができる。

❷ 実施者は、右手で児の右前腕を覆うように保持し、ゆっくりと左手側に移動させる。

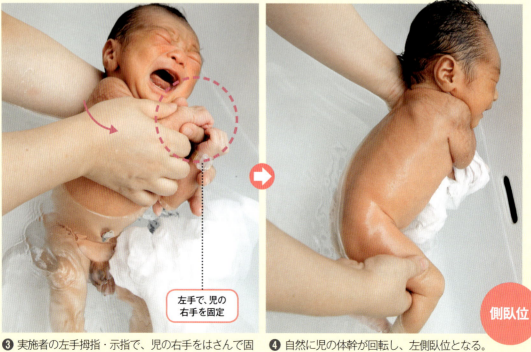

❸ 実施者の左手拇指・示指で、児の右手をはさんで固定する。

❹ 自然に児の体幹が回転し、左側臥位となる。

新生児の観察とケア

PROCESS 7 後頸部・背部・殿部を洗う

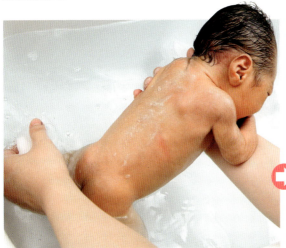 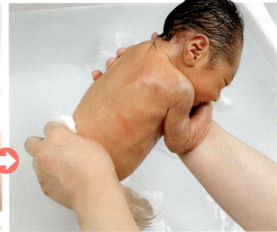

❶ 実施者は、ベビー用ボディソープを左手にとって泡立て、児の後頸部・背部・殿部を洗う。

❷ 石けん分はすぐに手のひらかガーゼで、こすらず洗い流す。

PROCESS 8 腹臥位から仰臥位に戻す

❶❷ 実施者は、児の後頸部から背部にかけて左手を当て、児の上体をゆっくりと起こす。

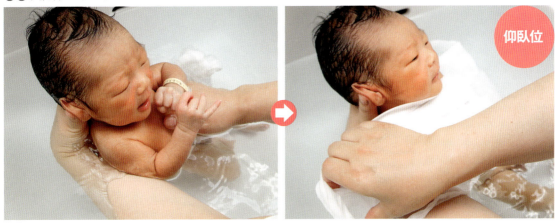

仰臥位

❸❹ そのまま児を仰臥位に戻し、沐浴布で頸部・両上肢・胸腹部を覆う。

CHAPTER 6

PROCESS ⑨ 下肢を洗う

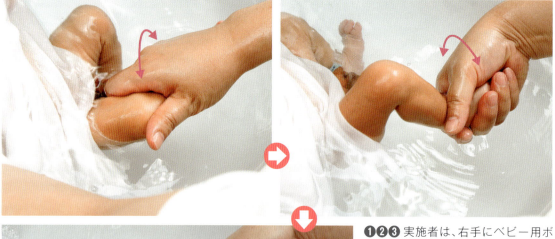

指の間も洗う

❶❷❸ 実施者は、右手にベビー用ボディソープを泡立て、大腿・下腿・足部を洗う。実施者の右手を、軽く回転させるようにして洗う。下肢は湯の中で洗ってよい。石けん分は湯の中で指腹で洗う。

うっかり！

- 足を洗うことに集中し、児頭が湯につきそうになった！
→ 最後まで児の固定はしっかりと。不安定であれば、一度抱き直し、支え直す。

PROCESS ⑩ 外陰部・殿部を洗う

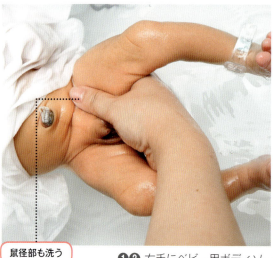

鼠径部も洗う

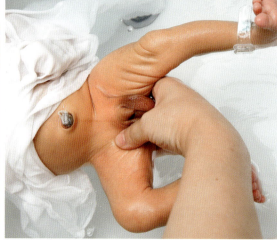

❶❷ 右手にベビー用ボディソープをとって、外陰部・殿部を指腹でやさしく洗う。

―――新生児の観察とケア

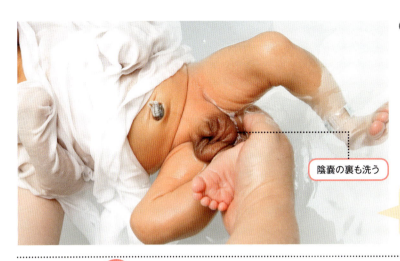

❸ 左右の鼠径部、男児なら陰茎・陰嚢、女児なら陰唇に注意して洗う。最後に泡立てたベビー用ボディソープを右手にとり、肛門周囲部を洗う。湯の中で、手指でやさしく石けん分を洗い流す。

陰嚢の裏も洗う

POINT
- 男児：陰茎・陰嚢の裏も洗う。
- 女児：陰唇の間も洗う。

PROCESS 11 湯から上げる

❶ 右手のひらで胸部を軽く押さえ、児を湯につけて温める。

❷ 洗面器でのかけ湯は、4〜5回実施し、石けん分が残らないように注意する。児を驚かせないように湯量を少なめに調整し、ていねいに行う。このとき、シャワーを使用してもよい。また、可能であれば排水し、沐浴層内の湯に児の身体が浸かっていない状態で流すことが望ましい。

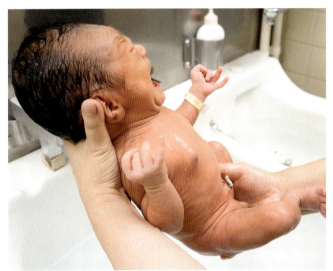

❸ 児の後頸部、殿部・鼠径部を支えて湯から上げる。

うっかり！
- 湯から上げる際、児を振ってしまった！
  → 児頭を70〜75度に傾斜させ、下肢のほうに水分を流し、すばやくバスタオルで包み、拭く。

CHAPTER 6 新生児の清潔ケア

CHAPTER 6

PROCESS 12 水分をとる

6-8

❶ 児を用意したバスタオルの上に寝かせ、すばやく全身を包み込む。

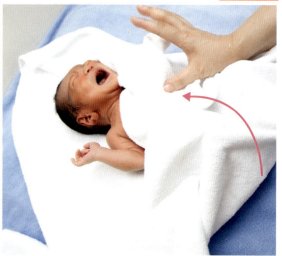

❷ バスタオルで軽く押さえるようにして、全身の水分をとる。

❸ 頭部は、バスタオルで全体を包み、頭髪の水分を十分にとる。

❹ 頸部の水分も忘れずにとる。

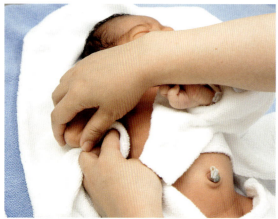

❺ 上肢を拭く際は、腋窩にも指を挿入して、押さえ拭きで水分をとる。

❻ 背部は、児を側臥位とし、後頸部・背部・殿部と広く覆って水分をとる。

Google 社短縮 URL サービス終了に伴う
当社書籍 Web 動画の視聴方法に関するご案内

本書掲載の QR コードは、Google 社の短縮 URL サービスを利用して作成しておりますが、Google 社のサービス終了に伴い、<u>2025 年 8 月 25 日以降は本書籍の QR コードが無効となる見込みです。</u>皆様には多大なご迷惑をおかけし、誠に申し訳ございません。

<u>本書籍の Web 動画につきましては、弊社ホームページの特設ページより、全動画をご視聴いただけます。下記にアクセスいただきますと、すべてご視聴いただけます。</u>

Web 動画視聴特設ページ　https://www.intermedica.co.jp/video

こちらからご視聴いただけます⇒

※各書籍の「Web 動画の視聴方法」ページ、
　および上記特設ページ内に記載されたパスワードを入力してご視聴ください。

ご不明な点がございましたら、弊社販売部までご連絡ください。
今後も皆様のお役に立つ書籍づくりに努めてまいりますので、
引き続きご愛顧賜りますよう何卒よろしくお願い申し上げます。

2025 年 1 月
株式会社インターメディカ　販売部
TEL：03-3234-9559　FAX：03-3239-3066
e-mail：info@intermedica.co.jp

新生児の観察とケア

PROCESS 13 オムツを当て、衣服を着せる

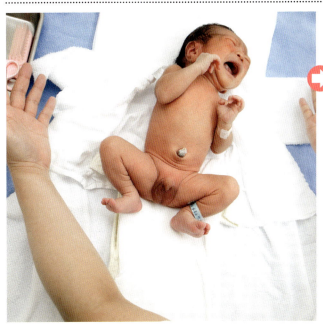

❶ バスタオルをはずし、衣服の両袖に児の両腕を通す。
オムツを軽く当てて臍処置を行う（p77参照）。

❷ オムツをしっかり当て、衣服を着せる（p100参照）。

PROCESS 14 頭髪を整える

最後に、ブラシを当てて、頭髪を整える。
後片付けを行い、沐浴槽の清掃と記録を行う。

POINT
沐浴槽の清掃
- 沐浴槽は、湯と洗剤で十分に洗浄し、乾燥させる。

CHECK！ 爪のケアも忘れずに

新生児の爪が伸び、顔をひっかいていると、母親や家族にとっては大変気になるものである。

清潔ケアの際、爪の伸び具合に注意し、適宜爪切りを行う。児の指を固定し、新生児用の爪切りを用いて実施する。
児がよく寝ているときに行うと、安全に実施しやすい。

新生児用爪切り

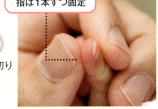
指は1本ずつ固定

CHAPTER 6 新生児の清潔ケア

CHAPTER 6

TOPICS

新生児の肌にやさしい新しい沐浴法

近年の研究により、新生児の皮膚トラブルを予防する目的で肌に負担をかけない新しい沐浴法が広まり始めている。
ここでは、従来の沐浴法と異なる点を中心に、新しい沐浴法を紹介する[文献11]。

1 必要物品について

従来の沐浴法との主な違いは、ガーゼを使用しないこと、十分な泡で洗える準備をすること、必要に応じて保湿剤を準備すること。

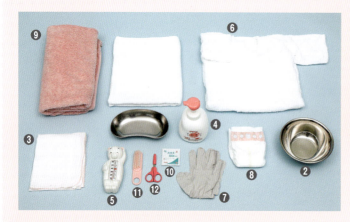

❶ 沐浴槽・ベビーバス　❷ 洗面器
❸ 沐浴布（必要時）　❹ ベビー用ボディソープ（泡状）
❺ 湯温計　❻ 着替え用肌着・衣服　❼ 手袋
❽ 紙オムツ　❾ バスタオル　❿ 臍消毒用アルコール
⓫ ヘアブラシ　⓬ 爪切り　⓭ 保湿剤（必要時）

POINT

- 泡状で噴出されるボトル式のものが使用しやすい。もし、液体および固形の石けんを使用する場合は、泡立てネットなどを用いてしっかりと泡立てた泡を十分に準備してから沐浴を始めるとよい（洗面器1杯程度）。

保湿剤の種類（児の皮膚の状態に合わせて選択する）

- ワセリン、オリーブ油などの皮膚の表面に油脂性の膜をつくり、水分の蒸散を防ぐタイプ。
- ヘパリン類似物質、ヒアルロン酸など水分と強く結合して保湿効果を発揮するタイプ。
- ヒアルロン酸ナトリウム、尿素など天然保湿因子で保湿を補うタイプ。

2 たっぷりの泡で洗う

泡状のベビー用ボディソープを手の指にとり、ガーゼを使用せず、泡でなでるように洗う。このとき、洗う部位は湯に浸かっていないようにする。

顔を洗う手順と注意点
鼻とその周囲→頬→顎の順に石けんの泡でやさしくなぞるように洗う。このとき、眼や口に泡が入らないようにする。

新生児の観察とケア

■その他の部位の洗い方と注意点

部位	洗い方	注意点
頸部	泡状のベビー用ボディソープを手にとり、拇指と示指の腹を使って頸部を洗う。側頭部から前頭部に向かって指を閉じるようにやさしく滑らせる。	―
上肢	泡状のベビー用ボディソープを手にとり、上肢を洗う。肩から手首に向かって実施者の手を軽く回転させながら洗っていく。	児の身体を湯の外で泡で十分に洗うため、沐浴槽を使用している場合には排水を始める。
手のひら	実施者の示指を児の小指側に入れながら、児の手のひらを開いて洗う。このとき、拇指で手の甲を圧迫すると、児の手のひらが開きやすい。	児が手のひらを舐めないように注意する。
胸部・腹部	沐浴布を外し、胸腹部を露出する。泡状のベビー用ボディソープを手にとり、手のひらで丸くなでるように洗う。	―

③ 十分な湯で流す

洗面器を使ってかけ湯をするか、シャワーで十分に石けん分を洗い流す。石けん分を洗い流した後は、乾いたタオルでやさしく水分をとる。

頭部を洗い流す場合の注意点
児が前傾になるように抱きかかえ、弱いシャワーか洗面器でかけ湯をして洗い流す。シャワーの水圧を和らげるように、湯をかける位置は児頭にできるだけ近づける。
腹臥位にして、顔に石けん分を含んだ湯がかからないように洗い流す。

④ 保湿する

ベビー用ボディソープを使った入浴後は、児の皮脂は流れ落ちてしまうため、60分経過すると皮膚が乾燥する。乾燥による皮膚のバリア機能の低下を防ぐため、入浴後15分以内に保湿剤を塗布することが望ましい。

保湿の手順
❶ 児をバスタオルの上に仰臥位にする。
❷ 保湿剤を500円玉大ほど手のひらにとり、両手をこすりあわせるようにして、均一に延ばす。
❸ 顔→頸部→両上肢→胸腹部→両下肢の順に手のひらでやさしくさするように塗布する。
❹ 児を側臥位にし、背部→殿部にも同様に塗布する。

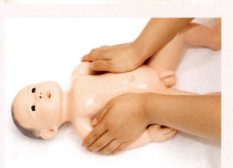

CHAPTER 6

CHECK! 家族とともに清潔ケアを行う際の留意点

家族とともに清潔ケアを行う際は手技を伝えるだけでなく、
緊張している母親や家族への配慮が大切。
ゆっくりと説明し、見守り、質問しやすい雰囲気をつくる。

家庭で沐浴を行うためのアドバイス

退院後は褥婦や家族が沐浴を行うこととなる。新生児が家族に加わることで家族の役割は大きく変化する。褥婦・家族が退院後の生活をイメージできるよう、生活環境に合わせた自宅での沐浴法についてアドバイスする。

●自宅での様子をうかがいながら、一緒に考える

ただ手技を伝達するだけでなく、自宅でいつ、誰が、どのように行うかなど個別的な内容を家族がイメージできるように説明することが大切である。集団指導・個別指導にかかわらず、児が安全で家族の負担が少なくなるような工夫をともに考えることが効果的である。
そのためには、退院後の生活環境、沐浴が実施できる児の状態、実施場所、時間や使用する物品などの情報を提供し、家族に適した実施方法を選択できるようにする。

●慣れるまで実施しやすい方法を選択するよう勧める

もし、褥婦や家族が湯の中で児を抱くことに自信がなかったり、自宅でのサポートが少なく沐浴を1人で実施する場合には、沐浴方法を工夫することもできる。

■沐浴槽やベビーバスの外で身体を洗う方法
湯に児の身体をつける前、または、顔や頭部を洗い終わり、水分をとった状態のときに行う。
❶沐浴槽の横に事前にバスタオルを用意し、その上に児を移動する。
❷児をバスタオルの上で仰臥位にし、実施者は両手に十分な泡をとって、頸部→上肢→胸腹部→下肢を洗う。次に児を側臥位にし、背部→殿部→外陰部を洗う。

POINT
■ 児の頸部を支えたまま殿部をバスタオルにつけ、右手の指に十分な泡をとって、頸部→上肢→胸腹部→下肢を洗い、児を腹臥位として、背部→殿部→外陰部を洗う方法もある。

緊張している母親や家族へのケア

清潔ケアをはじめて実施する、あるいは久しぶりに行う母親や家族は、緊張している。看護師はゆっくりと説明し、質問に耳を傾け、ゆったりと見守りたいもの。母親が児に語りかけながら実施できるよう勧める。

児の反応を母親に伝え、産瘤や骨重積など分娩を振り返りながらケアを行う。新生児特有の原始反射や蒙古斑、胎脂、ぜい毛なども適宜伝える。

中心性紅斑や黄疸、皮膚の乾燥、耳の形状など、母親が「これは大丈夫かしら?」と自然に口にできるよう、質問しやすい雰囲気づくりが大切。小奇形のある児については、母親と一緒にケアを行い、不安を表出できる場にする。

部分浴

新生児の皮膚はバリア機能を保持し、健全な皮膚が維持できればトラブルは生じにくいといわれる。しかし、新生児の皮膚は薄く、外部刺激にさらされやすく、傷つきやすい。新陳代謝も盛んなことから、適切なスキンケアが必要である。部分浴は沐浴に比べ、児の体力消耗が少なく、皮膚トラブルの生じやすい部位の保清に有効である。また、部分清拭に比べ、皮膚への少ない刺激で汚れを取り除くことができる。頭部・腹部・殿部・陰部・足部などに用いられることが一般的である。

目的
1. 児の皮膚の清潔を保ち、新陳代謝を促す。
2. 児の血液循環を促す。

適応
- 湿疹（乳児湿疹・脂漏性湿疹）・あせも・オムツかぶれなどがある場合、またはそれらの症状が生じやすい部位の保清促進（頭皮・腋窩・背部・殿部・鼠径部・膝裏・陰部など）。

不適応
- 発熱（37.5℃以上）
- 低体温（36.5℃未満）
- 空腹時
- 哺乳直後
- 嘔吐を繰り返し、哺乳できない状態
- 膿疱の湿疹を伴う場合
- 湿疹部位が急激に広がり、滲出液や悪臭を伴うなど悪化した場合

環境整備
1. 室温24～26℃程度、湿度50～60％に調節する。隙間風のある部屋、冷暖房機の吹き出し口や窓辺は、気温の変化が大きいため避ける。
2. 物品が清潔であることを確認する（使用前後に洗浄）。
3. 実施者は児の皮膚を傷つけないように爪を切り、指輪や時計をはずし、流水と石けんで手を洗う。
4. 部分浴に使用する湯の温度は38℃程度に調節する。
5. 周囲や上から物が落ちてこない、安全な場所を選ぶ。

CHAPTER 6

PROCESS 1 必要物品の準備

1. バスタオル
2. 着替え用肌着・衣服
3. 紙オムツ
4. 洗面器
5. ベビー用ボディソープ（必要時）
6. ピッチャーまたはスポイト
7. 臍消毒用アルコール
8. 手袋
9. 吸水マット（児が使用している紙オムツで代用可）

実施者は手洗いを行い、必要物品を用意する。
適温の湯を洗面器に半分ほど用意する。

湯温は38℃程度

PROCESS 2 部分浴の実施

部分浴をする部位のみを露出し、すばやく観察する（p54「健康な新生児の全身観察」参照）。排泄がある場合には陰部、殿部を清拭する。

陰部・殿部

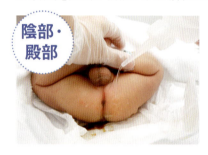

1. 殿部が吸水マット（紙オムツでも可）の上になるように仰臥位にする。
2. ピッチャーまたはスポイトで、外陰部・殿部に湯をかける。
3. 湯を何度かかけて汚れを洗い流す。男児は陰嚢・陰茎、女児は陰唇に注意して洗い流す。
4. 児の下半身をバスタオルで包み、押さえるようにやさしく水分をとる。
5. オムツを軽く当て、臍処置を行う（p77参照）。
6. オムツを当て、衣服を着せる。

POINT
■ 汚れがひどい場合は、ベビー用ボディソープを手にとり、外陰部、殿部を指の腹でやさしく洗い、石けん分をピッチャーまたはスポイトで十分に洗い流す。

POINT
■ 必ず、児の殿部が乾燥してからオムツを当て、衣服を着せること。乾燥しないままオムツを当てたり、衣服を着せると皮膚トラブルの原因となる。

頭部

1. 児の衣服の上から、頭部より下をバスタオルでくるみ、利き手ともう一方の手で児の身体を抱え込み、頭を沐浴槽に向ける。
2. 利き手で児の頭を湯でぬらし、ボディソープを泡立てて洗う。湯で石けん分を洗い流し、タオルで水分をとる。

POINT
■ 分娩後、血液や分泌物が児の毛髪に付着している場合は、頭をぬらした後、新生児用のくしを使うと除去しやすい。

部分浴の適応

種類	特徴
乳児湿疹	● 新生児アクネともいわれ、生後1か月前後に多い。主に顔面に現れる炎症性の丘疹や膿疱。 ● 皮脂腺での、母親のステロイドホルモンの作用ではないかといわれる。アレルギー性ではなく、スキンケアによって軽減する。 ● しばらくの間、できたり、治癒したりを繰り返し、数か月までに消えていくことが多い。治療の必要はなく、余分な皮脂を取り除く。
脂漏性湿疹	● 新生児は皮脂の分泌が盛んであるため、余分な皮脂や汚れを取り除かないと炎症が起きる。 ● 多くは、眉から頭頂部にかけて落屑性の赤い発疹ができ、黄色い鱗屑がみられる。
汗疹	● 汗腺が詰まり、汗が滲み出して急性・一過性の炎症を起こす。 ● 小さな紅斑や丘疹ができ、かゆみと刺すような痛みが伴う。 ● ときには小さな水疱状の丘疹が生じることもある。掻くと傷口から化膿菌が入り、治療が必要になる場合がある。
オムツ皮膚炎 （オムツかぶれ）	● オムツの中が蒸れている状況が続くと、便中のバクテリアや尿中のアンモニアが刺激となって発生する。また、児が足を動かしてオムツと皮膚に摩擦が起こり、ただれや赤い湿疹ができることがある。 ● 多くは刺激性のものだが、カンジダなど真菌類によることもある。改善がみられないようであれば、医師の診察を勧める。

CHECK! オムツ皮膚炎（オムツかぶれ）への対応

オムツ皮膚炎（オムツかぶれ）とは尿や便、さらにオムツを洗濯した際の洗剤などが刺激となって起こる皮膚炎である。

大部分が、オムツ交換などのケアで軽快するが、皮膚炎の中心から離れたところに感染が広がり、小円型の発疹がみられるカンジダ性オムツ皮膚炎は、なかなか改善せず、抗真菌薬による治療が必要となる（文献12）。

POINT 予防のポイント

オムツ皮膚炎（オムツかぶれ）を予防するには、皮膚の清潔を保つことが大切。以下のような対応を行う。

- オムツ交換は適宜行い、汚れたオムツを長時間つけたままにしない。
- 排泄物を拭き取るときには、力を入れずにやさしく拭う。
- 清拭後、十分に乾かした後に、オムツをつける。
- オムツは通気性のよいものを選択する。特に、オムツは皮膚への刺激の少ない、柔らかいものを選ぶ。

オムツ皮膚炎が起こった場合

- ◆ 軽症であれば、こまめにオムツ交換を行う。排便時には、汚れたオムツをはずした後、吸水性の高い紙オムツを殿部の下に敷き、スポイトなどで微温湯をかけて洗い流す。水分は、綿花でやさしく押さえ拭きをする。
- ◆ 排便量が多い場合は、殿部浴を実施する。
- ◆ オムツ交換時や殿部浴の後には、すぐにオムツをつけず、開放する時間を設ける。
- ◆ びらんなどが悪化した場合には、小児科医の診察を受ける。

CHAPTER 6

着替え

新生児は活発に新陳代謝を行っている。
発汗も多く、沐浴や全身清拭などの前後に、1日に1回は着替えを行う。
新生児特有の姿勢（WM型）に注意し、上肢・下肢を無理に伸展させないよう気をつける。

目 的 ● 新生児は代謝が活発で発汗も多いことから、清潔を保つために1日1回は着替えを行う。

新生児全身WM型

新生児は、両手をWの形に曲げ、両足をMの形に曲げた「新生児全身WM型」の姿勢をとる。

POINT
■ 着替えを行う際は、新生児全身WM型に留意し、上肢・下肢の無理な伸展などをしないよう注意する。

注意！
着替えの際は、衣服が広げられる平らで安全な場所を選択する。新生児が転落することがないよう注意する。

PROCESS 1 着替えの準備

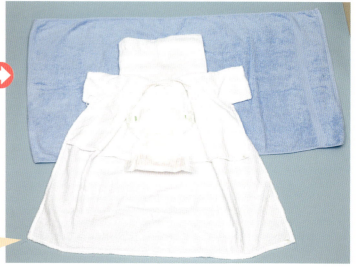

❶ 実施者は手を洗い、着替える場所の室温・湿度を調整する。

❷ 新しい衣服、オムツを準備する。

POINT
■ 衣服・肌着・オムツの順に重ね、広げておく。

新生児の観察とケア

PROCESS 2 衣類を脱がせる

6-9

❶ 新生児の衣服のひもやボタンをはずし、前を広げる。

❷ 衣服の内側から児の肩関節を軽く握り、袖口をたぐって引き上げながら、ぬがせる。

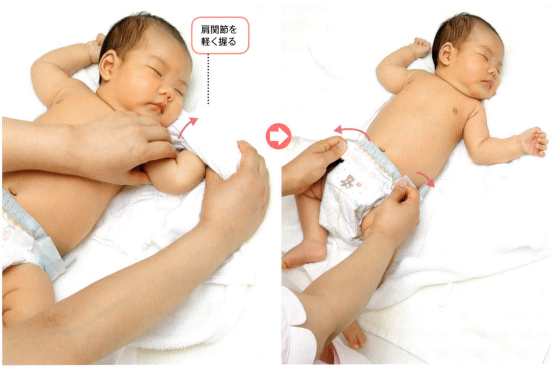

❸ 反対側も同様にして衣服を引き、袖をぬがせる。

❹ オムツをはずし、児を抱き上げて着替え用の衣類の上に移動させる。

CHAPTER 6 新生児の清潔ケア

CHAPTER 6

PROCESS 3 衣類を着せる

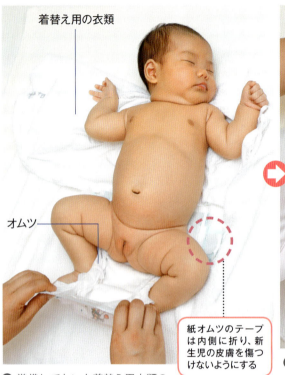

着替え用の衣類

オムツ

紙オムツのテープは内側に折り、新生児の皮膚を傷つけないようにする

❶ 準備しておいた着替え用衣類の上に、新生児を寝かせ、オムツを当てる。

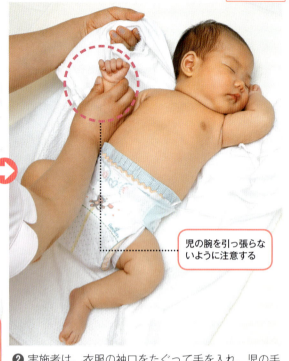

児の腕を引っ張らないように注意する

❷ 実施者は、衣服の袖口をたぐって手を入れ、児の手を握る（迎え手）。もう一方の手で衣服を下方に引き、袖を通す。

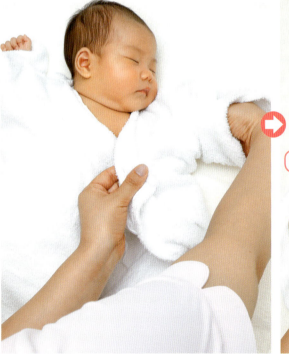

❸ 反対側も同様にして袖を通す。

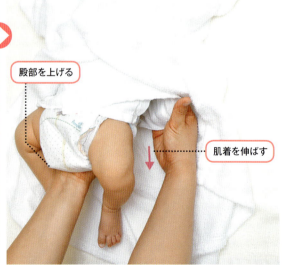

殿部を上げる

肌着を伸ばす

❹ 児の殿部を軽く持ち上げ、もう一方の手を背部に差し入れて、肌着を引き、しわを伸ばす。

新生児の観察とケア

CHAPTER 6 新生児の清潔ケア

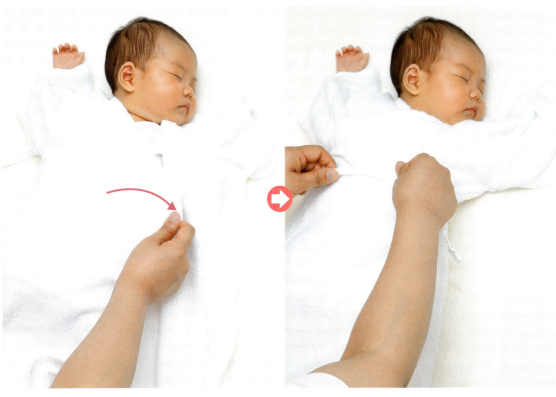

❺ 衣服の前をしっかり合わせ、しわを伸ばす。

❻ ひもを両側から合わせて結ぶ。

着替え完了

❼ 衣服の裾を整え、しわを伸ばす。

POINT
衣類の選び方

新生児の衣類は、季節や気温に応じて、次の点に留意しながら選択する。

- 通気性がよいもの。
- 動きやすいもの。
- 季節・気温に適したもの。
- 洗濯しやすいもの。

退院後の新生児の衣類の選択も、上記と同様である。肌着は夏季以外は2枚重ねて着ることも多いため、出産する季節に応じて用意する。
また、新品の肌着・衣類は、必ず洗濯をしてから使用するようアドバイスする。

通気性 / 季節気温 / 動きやすさ / 洗濯

101

CHAPTER 6

オムツ交換

新生児のオムツ交換は、身体の清潔を保ち、
オムツ皮膚炎を防ぐとともに、
尿・便の性状、回数を観察する機会となる。
授乳の前後、啼泣時に適宜行い、ぬれている時間を
最小限にする。

目 的
1. 身体の清潔を保ち、オムツ皮膚炎を防ぐ。
2. 尿や便の性状、回数を観察する。

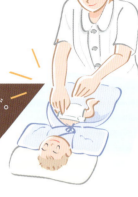

PROCESS 1 オムツ交換の準備

❶ 紙オムツ
❷ 綿花
　（あるいは新生児用
　ウエットティッシュ）
❸ 手袋

POINT
オムツの選択
- オムツは、吸水性・通気性のよいものを選択する。
- 排泄量の測定が必要な場合は、紙オムツを使用する。

POINT
- 綿花は、使用前に湯に浸し、湿らせておく。
- 新生児用ウエットティッシュでもよいが、アルコール類などが含まれ、児の肌を刺激する場合もあるため、児の状態を注意深く観察しながら使用する。

❶ 手指消毒をして、必要物品を準備する。
綿花を使用する場合は、湯に浸しておく。

❷ 手袋を装着する。

新生児の観察とケア

PROCESS ② オムツ交換の実施

6-11

両足を軽く押さえて固定

皮膚を観察

足は持たない

❶ 新生児の近くに、新しいオムツを広げて用意する。
紙オムツのテープをはずす。オムツを広げて、排泄物の性状、児の皮膚の状態を観察する。

湯で軽く絞った綿花を用い、前から後ろに向かって、力を入れずに清拭する。
綿花は、一拭きごとに面を替えて拭く。

POINT

- 胎便は粘度が高いため、やや水分を多めに含ませた綿花を用いる。
- 女児は、尿道口・腟口が不潔にならないよう注意し、前方から後方へ向かって拭く。
- 男児は、陰嚢の裏に便が付着しやすいので注意する。

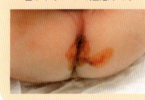

❷ 児の殿部の下に手を入れて軽く持ち上げる。
汚れたオムツを引き抜き、児の殿部を挙上したまま、新しいオムツを殿部の下に十分挿入する。

POINT

- 汚れたオムツは、排泄物を内側に閉じ込めるように丸める。
- オムツのテープは内側に折り、直接肌に触れないようにしておく。
- 殿部を上げる際、両足をそろえて持ち上げたり、足首を持たないよう注意。

CHAPTER 6　新生児の清潔ケア

CHAPTER 6

❸ オムツを当てる。呼吸による腹部の動きを妨げないよう少しゆとりを持たせる。この際、児の臍部にオムツの内側の吸収面がかからないよう注意する。

❹ オムツに実施者の指2本が挿入できる程度のゆとりがあること、下肢の動きが妨げられていないか、確認する。

指2本分のゆとり

❺ オムツが内側に巻き込まれていないかを確認する。

はみ出しはないか？

❻ 児の衣類を整える。
実施者は汚れたオムツを処理し、手洗いを行う。

CHAPTER 7 新生児の移送

新生児の移送には、新生児用ベッドを使用することが原則である。
新生児を抱いての移動は、
転倒・転落の危険があるため、原則として行わない。
移送時に看護師は、新生児の傍らから離れず、目を離さないようにする。
新生児の様子に注意を払うと同時に、ベッドの周囲や
進行方向の安全、移送中の保温にも注意する。

目的
1. 新生児用ベッドを用いて、安全に新生児を移送する。
2. 新生児用ベッドから診察台への移動時、沐浴時、授乳時などに、安全に抱き上げて移動する。

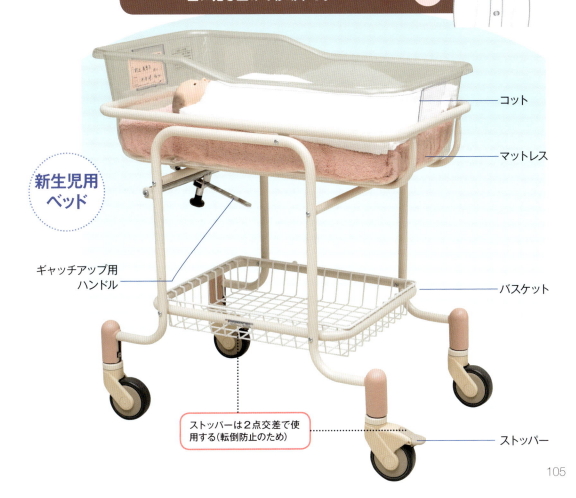

新生児用ベッド

- コット
- マットレス
- ギャッチアップ用ハンドル
- バスケット
- ストッパー

ストッパーは2点交差で使用する（転倒防止のため）

CHAPTER 7

PROCESS 1 新生児用ベッドでの移送

❶ 新生児用ベッド内に余分な物がなく、清潔に整えられていることを確認する。

❷ 新生児のネームバンドとコットのネームカードが一致していることを確認する。

POINT
- 新生児用ベッド内には余分な物を置かず、清潔を心がける。

❸ 新生児用ベッドは、新生児の足を進行方向に向けて進める。新生児の顔色や様子に注意を払う。同時にベッド周囲や進行方向の安全、気温や保温状態などに注意する。

POINT
- 新生児の顔色・様子を観察する。
- 新生児用ベッドの周囲、進行方向の安全に注意を払う。

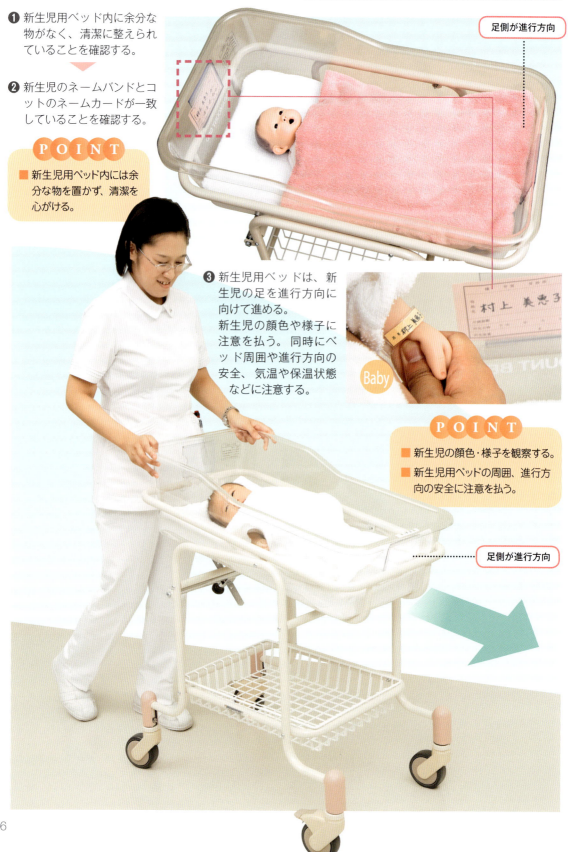

足側が進行方向

106

―― 新生児の観察とケア

PROCESS 2 新生児用ベッドからの抱き上げ

新生児を新生児用ベッドから安全に抱き上げ、診察台や沐浴台などに移動する。
その際、看護師は腕時計やアクセサリー類をはずし、胸ポケットにも何も入れないようにする。

POINT
- 新生児を傷つけないよう、胸元の服飾品をとり、ポケットを空にする。
- 手は爪を短く切り、腕時計や指輪をはずす。

CHAPTER 7 新生児の移送

縦抱き 7-1

❶ 新生児用ベッドの正面に立ち、臥床している新生児の後頭部の下に左右から順番に手を挿入する。

❷ 両手で新生児の頭部を支え、少し持ち上げる。

❸ 次に、片手で新生児の後頭部から後頸部にかけてをしっかりと支える。

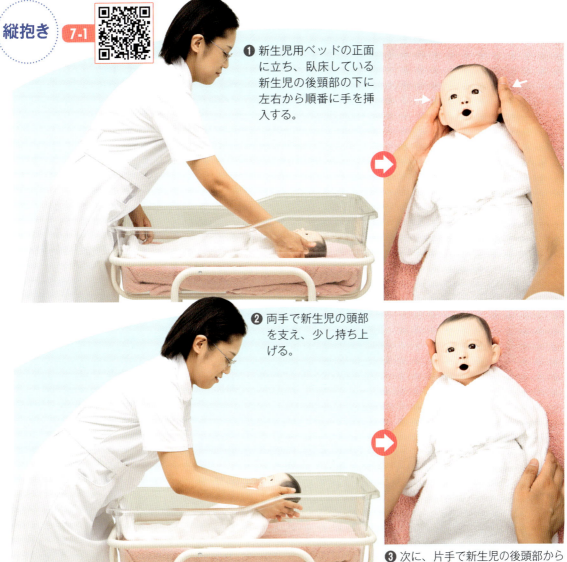

107

CHAPTER 7

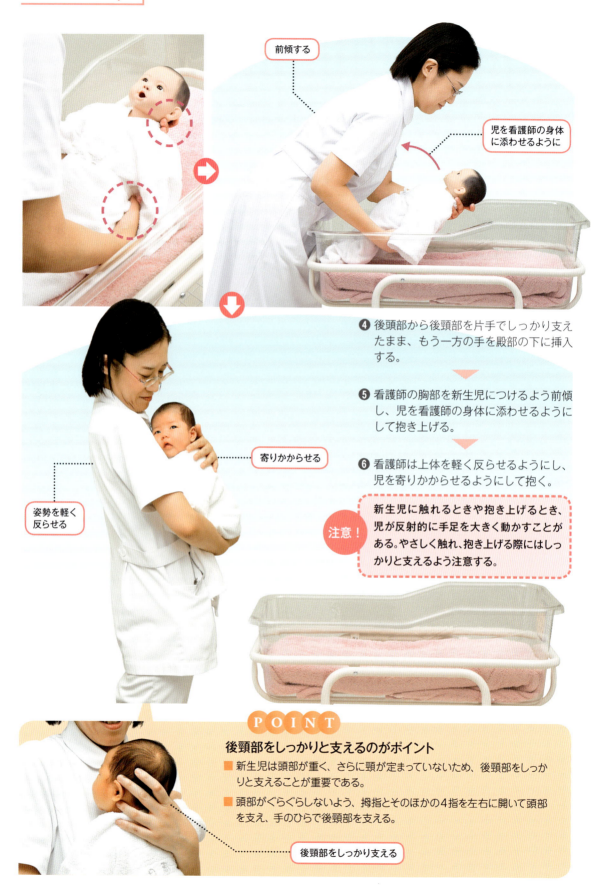

前傾する

児を看護師の身体に添わせるように

寄りかからせる

姿勢を軽く反らせる

❹ 後頭部から後頸部を片手でしっかり支えたまま、もう一方の手を殿部の下に挿入する。

❺ 看護師の胸部を新生児につけるよう前傾し、児を看護師の身体に添わせるようにして抱き上げる。

❻ 看護師は上体を軽く反らせるようにし、児を寄りかからせるようにして抱く。

注意！ 新生児に触れるときや抱き上げるとき、児が反射的に手足を大きく動かすことがある。やさしく触れ、抱き上げる際にはしっかりと支えるよう注意する。

POINT
後頭部をしっかりと支えるのがポイント

- 新生児は頭部が重く、さらに頸が定まっていないため、後頭部をしっかりと支えることが重要である。
- 頭部がぐらぐらしないよう、拇指とそのほかの4指を左右に開いて頭部を支え、手のひらで後頭部を支える。

後頭部をしっかり支える

新生児の観察とケア

横抱き 7-2

❶ 新生児用ベッドの側面に立ち、片手を新生児の後頭部の下に挿入する。

❷ もう一方の手を新生児の身体の下に差し込み、肘まで挿入する。肘窩が後頭部の下にくるようにし、さらに手のひらで殿部を支える。

❸ はじめに後頭部に挿入した手を、新生児の殿部の下に下方から挿入する。

❹ そのまま看護師の身体に添わせるように、新生児を抱き上げる。

CHAPTER 7 新生児の移送

CHAPTER 7

PROCESS 3 縦抱きから横抱きに変更する場合 7-3

❶ 縦抱きの状態から、新生児の上半身を看護師から少し離す。

❷ 新生児の殿部を支える手を動かさないようにし、後頭部を支える手を横方向にゆっくりとずらす。

❸ 後頭部を支える手を、もう一方の肘の位置までずらし、新生児の後頭部を肘窩で支える。

❹ 後頭部を支えていた手をはずし、新生児の殿部を支える。

新生児の観察とケア

PROCESS 4 新生児の寝かせ方

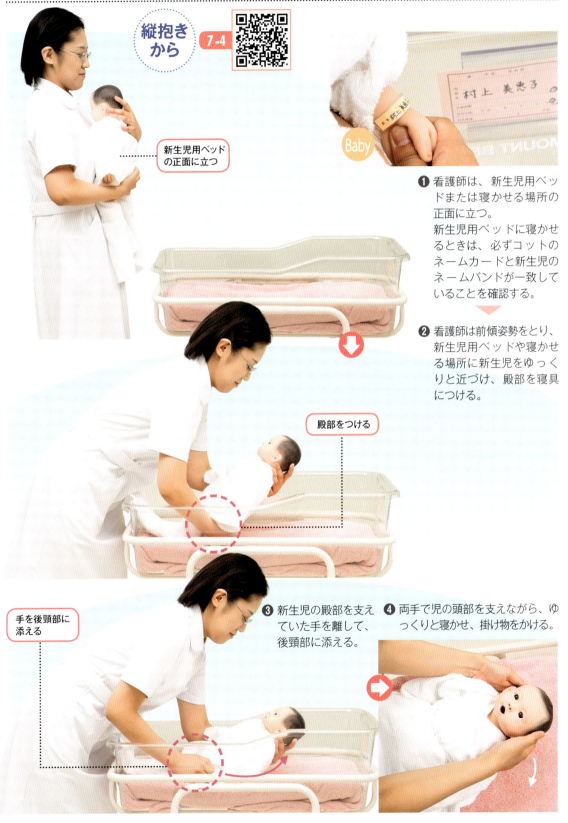

縦抱きから 7-4

新生児用ベッドの正面に立つ

殿部をつける

手を後頭部に添える

❶ 看護師は、新生児用ベッドまたは寝かせる場所の正面に立つ。
新生児用ベッドに寝かせるときは、必ずコットのネームカードと新生児のネームバンドが一致していることを確認する。

❷ 看護師は前傾姿勢をとり、新生児用ベッドや寝かせる場所に新生児をゆっくりと近づけ、殿部を寝具につける。

❸ 新生児の殿部を支えていた手を離して、後頸部に添える。

❹ 両手で児の頭部を支えながら、ゆっくりと寝かせ、掛け物をかける。

CHAPTER 7 新生児の移送

CHAPTER 7

横抱きから 7-5

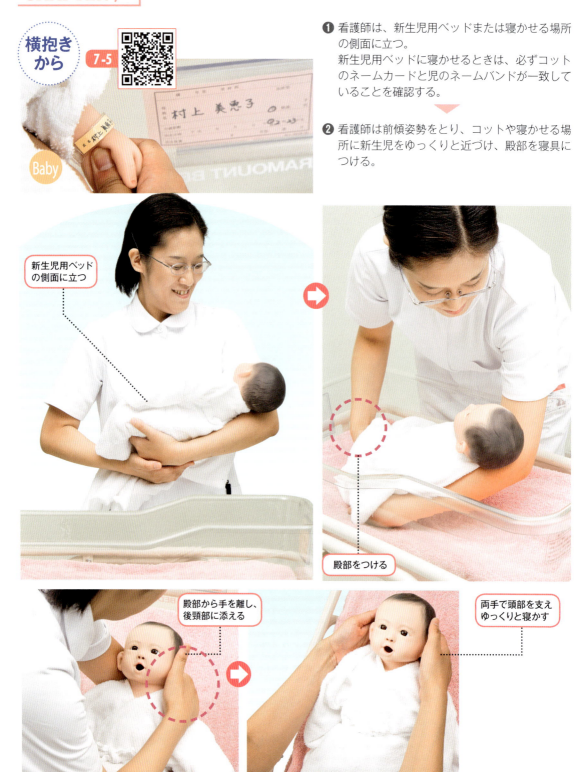

❶ 看護師は、新生児用ベッドまたは寝かせる場所の側面に立つ。
新生児用ベッドに寝かせるときは、必ずコットのネームカードと児のネームバンドが一致していることを確認する。

❷ 看護師は前傾姿勢をとり、コットや寝かせる場所に新生児をゆっくりと近づけ、殿部を寝具につける。

新生児用ベッドの側面に立つ

殿部をつける

殿部から手を離し、後頸部に添える

両手で頭部を支えゆっくりと寝かす

❸ 新生児の殿部を支えていた手を離して、後頸部に添える。

❹ 両手で児の頭部を支えながらゆっくりと寝かせ、掛け物をかける。

POINT
- 殿部を先に寝具につける。頭部は最後に、両手で支えてゆっくりと寝具につける。

母乳育児のためのケア

- CHAPTER **8** 母乳育児支援の基本
- CHAPTER **9** 出産直後の早期母子接触と母乳育児の開始
- CHAPTER **10** 授乳の支援
- CHAPTER **11** 搾乳の支援
- CHAPTER **12** 帝王切開手術で出産した母親への支援

CHAPTER 8 母乳育児支援の基本

母乳育児は、人間の子育てとして自然な方法であり、母乳は乳児にとって最良の栄養である。そして母乳育児を行うことは、母親や家族、社会全体にとっても、様々な利点がある。

妊婦の9割以上が子どもを母乳で育てることを希望しているが、実際に母乳育児をスムーズに始め、継続するには、母子を取り巻く人々の理解と支援が必要である。特に出産直後にかかわる看護師・助産師は、母乳育児に関する最新の情報と知識とスキルを持って母親を支援することが期待される。

母乳育児成功のために看護師・助産師が行う支援について、WHO/UNICEFの「母乳育児成功のための10カ条」を中心に支援のあり方をみていく。

目的
1. 母乳育児の利点とポイントを理解して、早期に母子育児が確立するよう支援する。
2. 母親が施設退院後も、自信を持って母乳育児を行えるように支援する。母乳育児支援のポイントについて学ぶ。

母乳育児の利点 文献1)

母親にとっての利点
- 産後の出血量の減少
- 子宮復古の促進
- 産後の体重減少の促進
- 授乳性無月経による妊娠期間の延長
- 母子の愛着形成と絆形成
- 疾患リスクの低下(2型糖尿病、高血圧、心血管系疾患、高血圧、閉経前乳がん、卵巣がん、子宮体がん、関節リウマチ、閉経後の骨粗しょう症、大腿骨頸部骨折、産後うつ、アルツハイマー病など)

子どもにとっての利点
- 感染症リスクの低下(胃腸炎、肺炎、下気道感染症、中耳炎、壊死性腸炎、菌血症、細菌性髄膜炎など)
- 疾患リスクの低下(気管支喘息、アトピー性皮膚炎、2型糖尿病、乳幼児突然死症候群など)
- 小児肥満、アレルギー疾患の予防
- 認知能力、IQへの影響

家族・社会にとっての利点
- 子どもの病気の減少による医療費削減
- 家族の経済的負担の軽減
- 人工乳や哺乳びんの製造・輸送コストの減少
- 環境への効果

母乳育児のためのケア

「母乳育児成功のための10ヵ条」の実践

人工乳が広く流通し、誤った宣伝によって多くの子どもが不必要な人工乳で育てられ栄養不良となった1970年代、WHOは母乳育児推進に取り組み、1981年に「母乳代用品のマーケティングに関する国際規準」（WHOコード）を、さらに1989年には産科施設とそこで働くすべての職員が実行すべきことを具体的に示したWHO/UNICEF「母乳育児成功のための10ヵ条」を採択した。1991年からは、これを実践する施設を「赤ちゃんにやさしい病院運動（BFHI：Baby friendly hospital initiative）」を行っていると認定する運動を開始した。

これらの運動は2003年に出された「乳幼児の栄養に関する世界的な運動戦略」によって、いっそう推進されている。

「WHO/UNICEF 母乳育児成功のための10ヵ条」（1989）
(WHO/UNICEF: The Ten Steps to Successful Breastfeeding. 1989)

1 母乳育児の基本方針を文書にし、関係するすべての保健医療スタッフに周知徹底しましょう。	**2** この方針を実践するために必要な技術を、すべての関係する保健医療スタッフにトレーニングしましょう。
3 妊娠した女性すべてに母乳育児の利点とその方法に関する情報を提供しましょう。	**4** 産後30分以内に母乳育児が開始できるよう、母親を援助しましょう。
5 母親に母乳育児のやり方を教え、母と子が離れることが避けられない場合でも母乳分泌を維持できるような方法を教えましょう。	**6** 医学的に必要がない限り、新生児には母乳以外の栄養や水分を与えないようにしましょう。
7 母親と赤ちゃんが欲しがるときに欲しがるだけの授乳を勧めましょう。	**8** 母親と赤ちゃんが一緒にいられるように、終日、母子同室を実施しましょう。
9 母乳で育てられている赤ちゃんに、人工乳首やおしゃぶりを与えないようにしましょう。	**10** 母乳育児を支援するグループ作りを支援し、産科施設の退院時に母親に紹介しましょう。

JALC翻訳　JALCのHPから引用

CHECK! WHOコードを理解して実行すること

母乳育児支援に関する医療者の倫理的規範の一つに、母乳代用品のマーケティングに関する国際規準（通称：WHOコード）がある（p145 COLUMN参照）。
WHOコードの趣旨と内容を正しく理解して実行することが、母乳育児支援の土台となる。

施設でよく見られるWHOコード違反例

❶ 母親が退院するときにもらう、乳業メーカーの社名や製品名が書かれた粉ミルクのサンプルや哺乳びん。
❷ 大勢の母親を集めて行う乳業メーカー派遣栄養士による調乳指導。
❸ メーカー名・商品名の書き込まれた時計などの備品（クッション、時計、カレンダー、湯沸かしポットなど）。

CHAPTER 8

母乳育児支援のポイント

看護師は、母乳育児の利点を理解して、母乳育児を行おうとする母子に寄り添って支援する。看護師は、母親に母乳育児を押し付けるのではなく、母親が母乳育児をよく理解したうえで自ら選択・決定した育児方法を自信を持って自立して行えるように支援する。また近年明らかになってきた出産直後から新生児が持つ能力を妨げることなく発揮できるように支援することが望まれる。

①施設で働くスタッフの母乳育児に対する価値や態度の統一

- 施設で働くすべてのスタッフの母乳育児に対する価値や態度は、母親の母乳育児成功に影響を与える。そのため、看護学生を含むすべてのスタッフが母乳育児を推進する意義を理解し、統一した方針のもとで行動できるようにすることが大切である。
- 看護師は、最新の情報やエビデンスに基づいたケアを提供できるように学び続ける必要がある。スタッフ間で情報を共有することで、より質の高いケアを提供できる。
- 看護師は、常に母親の意思決定を尊重した支援を行う。これには、母乳育児をしないことを決めた母親への支援も含まれる。

②新生児が持つ能力を最大限に引き出す支援

- 母親と新生児が安全に安心して母乳育児を行うことができるような環境づくりをする。
- 医療者には、母親と新生児を見守る態度が求められる。新生児は出生直後から母乳を求める行動をとり、母親はそれに応じようとする。母子の相互作用が十分に行われるよう、母子の安全を確保しながら見守る。

CHECK! 母乳育児支援は妊娠中から

母乳育児支援は、妊娠中から始まる。出産前教育で、母乳育児の利点やその方法について情報提供し、話し合う機会を持つ。
母乳育児をしないことを選択した母親や諸事情でできない母親に対しては、個別に対応する。

EVIDENCE

- 赤ちゃん人形やクッションを使って具体的に授乳方法の練習を行うことで、出産後の母乳育児をイメージしやすい(文献2)。
- 出産直後の早期母子接触を希望する母親には、分娩立ち会いをする家族も含めて、リクライニング姿勢を体験してみる。

母乳育児のためのケア

③母親への情緒的支援

- 看護師は、一人ひとりの母親を個別的に支援し、心配や不安を受け止め、自信が持てるような言葉がけを行う。
- 母親を一方的に励ましたり、アドバイスをするのではなく、母親が「大切にされている」「支えられている」と感じられるような支援を行う。
- 特に看護師の言葉は、母親の心理面に大きく影響する。「乳頭が小さい」「大変そう」「出ない」「むずかしい」など母親の自信を損なう否定的な言葉は使用しないよう注意する。

④家族への支援(母親とその家族への情報提供)

- 母親がより安心し楽しんで母乳育児を行うためには、パートナーや家族も育児の当事者として、母親に支持的にかかわることが重要である。
- 看護師は、妊娠中から母親とパートナー・家族に母乳育児についての理解を促す。パートナー・家族が退院後の家庭における具体的な支援の仕方や母親を支える役割について話し合える機会を提供する。
- 現代家族は多様化している。母乳育児をする母親が自分の親世代の介護を担っていたり、シングルの母親では、早期の職場復帰や経済的な事情のために、母乳育児を継続することが困難な状況にあったりする。利用できる社会資源についての情報を提供することや、地域の担当保健師への紹介なども必要になる。

⑤退院後の地域での支援

- 母親や家族が地域で継続的な支援が受けられるよう、社会資源について情報提供を行う。近年、出産後に産科施設で過ごす期間は短くなる傾向にあり、母乳育児が軌道に乗る以前に退院する母親もいる。また順調に母乳育児を行っていても、突然、乳腺炎のようなトラブルが発生する場合もある。
- 退院後も適切な支援がいつでも受けられることが重要である。産後健診や乳児健診、新生児訪問などの機会だけでなく、母親がいつでも利用できる母乳外来や産後入院施設、助産所の母乳育児相談室について、妊娠中や入院中に情報提供をする。
- 母親どうしが育児について話し合い、支援し合う様々な自助グループがあることも伝える。

CHAPTER 9 出産直後の早期母子接触と母乳育児の開始

出産直後に母親と新生児とが肌と肌とを触れ合わせることは、母子の心身に様々なよい影響を与える。早期接触は各種の消化管ホルモンやオキシトシンの分泌を上昇させ、母子の相互作用と愛着形成が促進されることも明らかになっている[文献1]。

現在WHOでは、出産後すぐに母親が児を抱き、少なくとも1時間、肌と肌とを触れ合わせ、児が乳首に吸い付こうとしていることを母親が気づくように促し、必要なら介助を申し出ることを推奨している[文献2]。

本章では、健康な正期産児を対象に、出生直後に行う早期母子接触について紹介する。

カンガルーケアと早期母子接触

カンガルーケアは、1979年コロンビアの首都ボゴタで低出生体重児に対するケアとして行われたのが始まりである。日本では95年に新生児集中治療室(NICU)入院中の児にカンガルーケアが導入され、いまでは多くの病院で行われている。

当初は低出生体重児を対象とした発育促進を目的としたケアであったが、近年では正期産児に応用され、早期母子接触と呼ばれ、NICUでのカンガルーケアとは区別している。

目的

1. 早期母子接触を支援して、母子の相互作用と愛着形成を促す。
2. 母親が不安なく安全に、母子同室を行えるよう支援する。

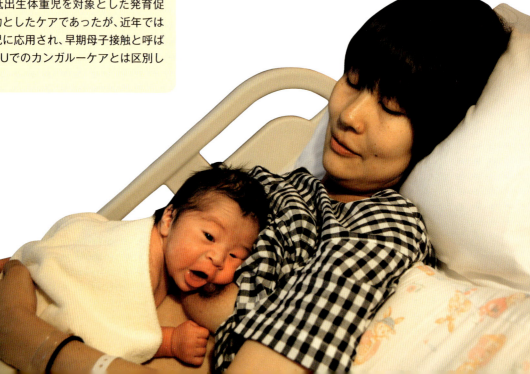

早期母子接触の効果

早期母子接触には、母子のストレスを減少させ、出生直後の児の生理的変動（体温維持、低血糖予防、アシドーシス改善、心拍数減少、多呼吸改善、経皮的動脈血酸素飽和度〔SpO_2〕の上昇など）を安定させて、呼吸循環の適応を早める働きがある。また、母乳育児の確立と母乳育児期間の延長を有意に促進させることが明らかになっている。このほかにも以下のような意義が認められている。

早期母子接触とは

- 出産直後の母親と健康な児がゆったりとさえぎられることなく自由に肌と肌とを触れ合わせ、母親の胸に抱かれていることを指す。
出産直後に分娩室で行われる早期接触を「早期母子接触」と呼び、英名としては"early skin-to-skin contact"または"Birth Kangaroo Care"と呼ぶ（文献3）。

■早期母子接触の意義

- 産後2〜3か月後の母乳育児率を増加させる（文献4）。
- 出生直後の新生児は、連続して2〜3時間はしっかりと目覚め、外界によく反応し、自ら外界にかかわっていくことができる状態にある（新生児覚醒）（文献5）。
- 母親と肌と肌との触れ合いをした新生児は、コットに寝かされていた児よりも啼泣が少ない（文献6）。
- 沐浴・計測・点眼などの処置のために早期母子接触が中断されると新生児の自発的な哺乳行動は妨げられる（文献7）。
- 新生児が自発的な吸啜を始めるまで、生後45分〜2時間かかることがあるが、出生後2時間〜2時間半で新生児の自発的な吸啜行動は少なくなるか止まる（文献4・7）。よってこの出生直後の時間は、母親と子どもにとって二度とない貴重な時間であることを、出産にかかわる看護師・助産師は十分理解し、支援することが求められる。

環境と体位の調整

- **室温**：あらかじめ室温を26℃程度（25〜28℃）に暖かくしておく。
- **照度**：児の観察が可能な程度の、適度に明るすぎない照度に調整する。
- **静けさ**：母親が集中してわが子に没頭し、主体的に振る舞えるような静けさが必要である。
- **体位**：母親の分娩終了後、分娩台を30〜45度にギャッチアップし、母親が快適でリラックスして過ごせるように体位を整える。母親の両腕の下にクッションや枕を入れたり、ベッド柵で支えると、児を抱きやすく、安定する。

CHAPTER 9

> 実施の手順

SpO₂センサー装着

- 児の右手にSpO₂センサーを装着する。SpO₂が10分後90％以上、15分後95％以上であれば、センサーをはずし観察する。正期産の健康な新生児のSpO₂が95％を超えるのは、動脈管前（右手）では約1時間以上かかることを示す報告もあり、出生直後は必ずしも100％を保つ必要はない[文献8]。
- 基準値以下の場合、呼吸状態の観察とSpO₂モニタリングを継続する。
- 状況によっては、早期母子接触を一時中断しての観察や、新生児科医師の診察を依頼することを検討する。

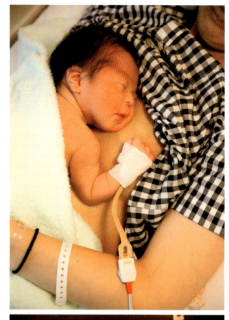

鏡

- 鏡を準備し、児の哺乳行動を母親も観察するように促す。

出生後15分の体温測定

- 室温は26℃程度まで上げる（分娩室全体が保育器のようなイメージで）。できるだけ母親と児が肌と肌で触れ合えるようにしておくことが望ましい。
- 出生後、15分程度経過したら、体温測定を行う。
- 体温は37℃以上を保つように必要時には温めた掛け物に取り換えたり、帽子をかぶせたりして低体温を防ぐ（新生児は頭部の比率が大きく、頭からの蒸散で放熱する。帽子をかぶせて、頭からの放熱を防止し、低体温を予防してもよい）。

体色・体温・呼吸状態の観察

- 児の体色・体温・呼吸状態について観察し、母親や家族に説明する。
- 記録などは分娩室内で行い、看護師・助産師は部屋を離れないことを原則とする。
- やむを得ず看護師・助産師が部屋を離れる場合は、母親に不安なことがあれば、遠慮なくナースコールなどで知らせるよう説明する。

新生児の探索行動[9)]

出生後しばらくすると、児が乳頭を探すなど、探索行動がみられるようになる（探索行動がみられる時期は、児の個性によって異なり、もっと早い児、もっと遅い児もある）。

母親と家族に児の哺乳行動を説明し、吸着（ラッチ・オン）するのを根気よく見守り、必要時に手を貸す。

児が眠り始める1時間前後までを目安に、初回から直接授乳を開始するのが望ましい。

分娩経過や児の出生体重などの状況をアセスメントし、必要時には早期に授乳できるよう介助する。

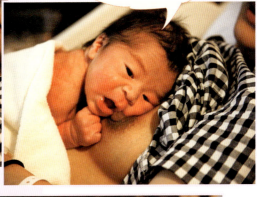

CHAPTER 9

早期母子接触時のリスクマネジメント

少数ではあるが、早期母子接触中の事故事例も報告されている。ほとんどが呼吸停止と低体温が原因で、なかでも呼吸停止は、分娩室スタッフがほかの業務のため、母親と新生児から目を離したときに起きている。

分娩室での早期母子接触中には、担当者が分娩室内にいて、モニタの数値に頼らず、物理的・心理的環境の調整と母子の観察を行うことが推奨される。

1 出生後5分と45〜60分後に事故の発生率が最も高く、児の無呼吸発作に十分な注意が必要である。**控えめに絶えず見守る。**

2 生後1時間は、特に低体温に注意する。季節の変わり目はエアコンの設定温度や吹き出し口の方向などにも注意する。**1時間ごとに体温測定**をする。

3 出産後の母親は疲労・貧血などで、児を支えきれなくなることもある。
また、活発に動く児や不慣れな母親の場合は、**児の転落防止にも留意**する。予防策としては、分娩台の横柵やクッションを利用し、付き添い家族の協力も積極的に得る。

4 **羊水混濁・分娩遷延・分娩第2期遷延のケース**は、時間の経過とともに呼吸状態が悪化する可能性もあり、特に注意深く観察する。

5 **早期母子接触中の母親を一人にさせないように、見守り続ける。**母親が児に没頭できるような温かい雰囲気を心がける。

6 **母親が自分の思いを言語化**できるように、一方的な説明を避ける。

母子同室の実際

母子ともに健康であれば、出産直後から母子同室を開始する。医学的な理由がない限り、母子は分離しない。

母子が一緒にいることで母親の睡眠が阻害されるわけではないことを、母親と看護師・助産師がともに理解し、母親が効果的に休息できる環境を整える。

母子同室により、母乳を飲みたい様子がみられたときには、いつでも授乳できるよう支援する。

EVIDENCE
- 母子同室・母子同床では、母子異室に比べると有意に吸啜回数が増え、母乳分泌量の増加に影響する(文献10)。
- 母親の部屋に新生児がいても、母親の睡眠には大きな影響はなく、新生児自身がよく眠る(文献11)。

入院中の母子同室

いつも児をみることができ、すぐに触れたり、抱き上げられる場所にコットを置く。
添い寝をする場合は、母親のベッドの真横に同じ高さに調節して段差や隙間なく付けられるタイプの赤ちゃん用ベッドを用意する。

POINT
- 新生児の観察を母親だけにまかせないよう、看護師・助産師の定期的な観察を心がける。
- 家庭で行う母子同室・同床について、具体的な方法と注意点について知らせる。

POINT
- 児は常にあおむけに寝かせ、うつぶせ寝や横向き寝をさせないようにする。
- 児が窒息しないよう高すぎる枕を使用しない。
- 児に衣服やおくるみを着せすぎたり、掛け物をかけすぎたりしない。
- 児の顔や頭が寝具で覆われないようにする。
- 室温を高くしすぎないようにする(20〜25℃が望ましい)。

和室の場合は、母親の布団の隣に赤ちゃん用布団を置く。

硬く平らな敷き布団を準備する。児の身体が沈み込むような柔らかいマットレスは使用しない

CHAPTER 9

COLUMN — 赤ちゃんが安全に眠る場所

母子同室においては、母親が休むことができ、
児が安全に眠ることが重要である。入院中や退院後の睡眠環境について、
以下の情報[文献12)]に基づいて母親や家族とともに確認するとよい。

お母さんが休めるようにしましょう。

- 部屋は少し暗くしておきましょう。明かりをつけるとみんなが目を覚ましますし、あなたが授乳したり赤ちゃんをなだめたりするためにいつも必要なことではありません。
- 赤ちゃんを近くに寝かせておきましょう。赤ちゃんにとって最も安全な寝場所は、あなたの布団の横に敷いた赤ちゃん用布団か、あなたのベッドの横にある赤ちゃん用ベッドの中です。
- 近くで寝ることにより、あなたは赤ちゃんの立てる音を聞くことができますし、赤ちゃんが泣きだしたり、苦しくなったりする前に赤ちゃんのニーズに応えることができ、あなたは起き上がることなく赤ちゃんに容易に触れることができます。

赤ちゃんを寝かせるときあなたの赤ちゃんの安全を保ち、SIDSのリスクを減らすには、いつも以下のことに気をつけておきましょう。

- 赤ちゃんが眠るときはあおむけに寝かせ、うつぶせ寝や横向き寝はさせないようにしましょう。
- 少なくとも生後6か月間は、赤ちゃんのコットは親のベッドの横に置きましょう。
- マットレスは硬く平たいものにしましょう。ウォーターベッドや、ビーズクッションやたわんだマットレスは適切ではありません。
- 赤ちゃんに着せすぎたり掛け物を掛けすぎたりしないようにしましょう（あなたが着たり掛けたりしている以上の服や掛け物は使わないようにしましょう）。
- 掛け物で赤ちゃんの頭を覆わないようにしましょう。
- 室温を高くしすぎないようにしましょう。
- 赤ちゃんの眠る部屋は禁煙ゾーンにしましょう。

一緒の布団で寝るとき、大人用ベッドで一緒に寝るとき、親のなかには、
意図して行っているか否かにかかわらず、授乳したりなだめたりしながら
夜中に赤ちゃんと一緒にベッドで眠ることを選択している人もいます。
そのため、以下の点に十分に配慮することがとても大切です。

- 赤ちゃんは枕から離しておきましょう。
- 赤ちゃんがベッドから落ちたり、マットレスと壁の隙間にはさまったりしないよう気をつけましょう。
- 赤ちゃんの顔や頭が寝具で覆われないように気をつけましょう。
- 赤ちゃんを一人きりでベッドに置きっぱなしで離れることがないようにしましょう。月齢のとても小さな赤ちゃんでも、自分でもぞもぞ動いて危険な姿勢になることがあります。
- あなたの赤ちゃんがとても小さく生まれたか、早産児だった場合には、生後早期の数か月は1つの布団や1つのベッドで一緒に寝ることは安全ではありません。

注意

- あなたの赤ちゃんにとって最も安全な寝場所は、あなたのベッド（布団）の横に置いたコット（赤ちゃん用布団）の中です。
- あなたがお酒や眠気を催す薬を飲んでいるときは、赤ちゃんと一緒に寝てはいけません。
- あなたであっても、ほかの人であっても、喫煙者は赤ちゃんと一緒に寝てはいけません。
- ソファや肘掛け椅子で赤ちゃんと一緒にうとうと居眠りをするような姿勢をとってはいけません。

母乳育児のためのケア

COLUMN　　　　　　　　　　　　　　　　　　　　よくある質問1

母子同室について

母親：いつも赤ちゃんと一緒だと緊張して疲れてしまいます。
昨日は夜中赤ちゃんがおっぱいを飲んでいたので、眠れませんでした。

看護師：本当に疲れているのですね（母親の気持ちに共感する）。
リラックスして授乳できる方法を一緒に工夫してみましょう。

CHAPTER 9　出産直後の早期母子接触と母乳育児の開始

POINT
アロマセラピーを行う際の注意点
■ 新生児の生存と安心にとって、一番大切な匂いは母親の母乳、乳房、身体の匂いである*。新生児にとって最適な匂い環境を保てるよう配慮して、母親へのアロマセラピーを行う必要がある（p47参照）。

- 母子同室のほうが、母親も児もよく眠れることを説明する。
- 母親の緊張を和らげるための足浴や、肩・背中のマッサージ、アロマセラピーなど、リラックスタイムをつくる。
- 母親が授乳だけに専念できるように、授乳以外の児の世話を介助する。
- 児がぐっすり眠っているときに限り、短時間預かる。

* 新生児は母親の乳房の匂いに引き寄せられ、母親の乳房の自然な匂いにより吸着する（文献13）。
乳児は特に自分の母親の匂いに反応し、口をもぐもぐさせる動き（mouthing）が増加する（文献14・15）。

125

CHAPTER 10 授乳の支援

母親と児は、いつも一緒にいることでお互いを知り、相互作用によって愛着を形成していく。特に一日に何度も行われる授乳は、最も具体的な母子相互作用の場面である。母親は児の哺乳しようとする能力に気づき、応えようとする。授乳がうまくいかないこともあるが、授乳を重ねるごとに母親は、自分と子どもにとって最良の方法を工夫して実践していく。その積み重ねが自信につながる。

看護師・助産師には、この過程を妨げないように常に母親と児を見守る姿勢が求められる。本章では、授乳が安楽に行われるための環境調整と、様々な授乳方法を紹介するとともに、母親からの援助の申し出があったときの介入方法について解説する。

目的
1. 母親が安楽かつ効果的に授乳を行えるよう支援する。
2. 母子の授乳に対するニーズを把握して、適切に支援する。

看護師が行う授乳支援

- 母親が児のサインに合わせた授乳ができるよう、看護ケアのスケジュールを調整したり、面会者の協力を得るなどして、環境調整を行う。
- 一通りの抱き方を一方的に教えるのではなく、その母子に合った姿勢や方法を母親が探せるように支援する。
- 授乳は一日に10回以上行われるので、リラックスして安楽に授乳できるよう母親とともに工夫する。
- 看護師からみて「適切な授乳」とは思えなくても、母子にとって痛みや不都合がなく快適であれば、過剰なアドバイスは不要である。
- 母親が自信を持って自分で授乳できるように見守り、支え、母親の求めに応じていつでも手助けする用意があることを伝える。

母乳育児のためのケア

授乳の準備

母親と児の状態について情報を収集する。また、母乳育児についての母親の希望、考えについて把握しておく。

母親にねぎらいの言葉をかけ、授乳についての説明を行う。

母親の求めがあれば授乳についてアドバイスするが、その際、すぐに母子や乳房に手を触れて授乳方法について説明するのではなく、赤ちゃん人形や乳房模型を使って、看護師が行って見せて、説明する方法が効果的である（p136参照）。

❶ 赤ちゃん人形　❷ 乳房模型　❸ 手袋

授乳しやすいように、髪留めやゴムひもなどで衣類をまとめる

出産施設では、ベッド上やベッドサイド、あるいは授乳室で授乳する場合に、必要なときにいつでも使用できる用具を準備しておく。

❶ U字クッション
❷ 授乳クッション
❸ 枕　❹ バスタオル
❺ 円座　❻ 足台

CHECK! 乳房の準備は不要

手洗いは十分行うが、乳頭や乳房の消毒や洗浄は不要である。

乳輪部にはモントゴメリー腺（乳輪腺）があり、皮脂を分泌している。この皮脂は、皮膚のpHバランスを保ち、細菌の繁殖を抑える働きがある。授乳前に乳頭を消毒薬やクレンジングコットンで清拭することは、皮脂を取り除き、乳頭乳輪を不必要に乾燥させ、皮膚に小さな傷をつくる原因となる（文献1・2）。

CHAPTER 10　授乳の支援

CHAPTER 10
児の飲みたい欲求に応じた授乳

授乳は「○時間ごとに△分間」というように限定せず、児の欲求に従って行う。児の欲しがるサインや授乳に適した児の状態について、母親が気づくことができるように、看護師は母親と一緒に児の状態を観察する。そして、児の飲みたい欲求にすぐに応じて授乳ができるように、母子がいつも一緒にいられるように配慮する。児または母親が処置や指導などを受ける際も、できるだけ母子が離れないようにする。

授乳に適した児の状態

児の睡眠と覚醒の状態は、6つのStateに分類されるが、そのうち、授乳に適した状態は、State3～5にあるときである。
児が啼泣したら授乳する（泣いたら飲ませる）方法では、母子ともに焦ってしまい、落ち着いて授乳できないことが多い。泣きだす前の、児がおっぱいを欲しがっているときに示すサインをとらえ、そのタイミングで授乳できるように、児の状態を母親と一緒に観察する。

児の覚醒State

State 1　深い睡眠

State 2　浅い睡眠

State 3　まどろみ

State 4　静かに覚醒

State 5　動く・活発に覚醒

State 6　啼泣

母乳育児のためのケア

児がおっぱいを欲しがっているサイン 文献3)

- おっぱいを吸うように口を動かす。
- 手を口に持っていく。
- クー・ハーというような柔らかい声を出す。
- おっぱいを吸うときのような音を立てる。
- すばやく目を動かす。
- むずがる。

口を動かす　　手を口へ　　むずがる

STUDY　出産後の乳房と母乳の変化

■乳房の変化

妊娠中	ホルモンの影響により、乳腺が発育し、乳房の大きさや重さが増加する。
乳汁生成第Ⅰ期 妊娠16週～産後2日まで	初乳がつくられる。出産後、胎盤が娩出されることで胎盤からのホルモン放出が急激に低下し、母乳分泌が始まる。初乳の分泌は少量であるが、多くの免疫物質を含んでいる。
乳汁生成第Ⅱ期 産後3日～8日ごろまで	分泌量が増加し始め、母親によっては乳房が温かく充満するように感じられる。この乳房の変化は、ホルモンの変化によって開始されるため、内分泌調整（エンドクリン・コントロール）と呼ばれる。
乳汁生成第Ⅲ期 産後9日～母乳育児の終了まで	この時期から母乳の産生は、1回の授乳や搾乳によって乳房内から除去される量に影響される。乳房が空に近い状態まで飲み取るか、搾乳することによって、分泌量が決まる。需要と供給の関係によって母乳分泌量が確立するため、自己分泌調整（オートクリン・コントロール）と呼ばれる。

■母乳の変化

産褥4～5日目になると、母乳の分泌が盛んになり、母乳の色も初乳の黄色から白っぽく変化し（移行乳）、最終的に白色の成乳になる。

初乳　　移行乳　　成乳

EVIDENCE

- 初乳にはとろみがあり、βカロテンを含んでいるため黄色い。
- 初乳は成乳に比べ、脂肪と炭水化物が少なく、たんぱく質が豊富である。特に、分泌型免疫グロブリンA(sIgA)、脂溶性ビタミン（特にビタミンA）、ミネラル（特にナトリウム、鉄、亜鉛）を多く含む（文献4）。

CHAPTER 10　授乳の支援

CHAPTER 10
授乳姿勢のバリエーション

横抱き

飲ませる側の乳房と同じ側の腕で児を支えて飲ませる。
児を腕の高さで抱き、児の身体全体が母親の身体と向かい合うようにする。

交差横抱き

飲ませる側の乳房と反対側の手で児の首から肩、背中をまっすぐに支えて飲ませる。
児の身体を、母親に帯を巻くように引き寄せ、児の口と乳頭の方向を合わせる。

縦抱き

新生児の殿部を母親の大腿にのせて、両足を開いてまたがせる。
片方の手で新生児の頭頸部を、もう一方の手で乳房を支え、児の口と乳頭の高さを合わせる。

脇抱き

児を母親の脇に抱え、クッションや肘掛けのあるソファなどを利用して児の口と乳頭の高さを合わせる。別名フットボール抱きともいう。

母乳育児のためのケア

リクライニング授乳

リクライニング姿勢（30～45度のファウラー位）で、母親の胸腹部に児をのせ、児の手・足・頭が自由に動かせるよう殿部を両手で支えて抱く。母と児の胸部と腹部が密着し、児の頬や顎は母親の乳房に付いていると吸着しやすい。
児が活発に動く場合には、母親の両腕をクッションなどで支えて、腕で児を囲み安全に行う。
母親が児の表情や顔色を見やすいことを確認する。

CHECK！ 授乳姿勢の観察ポイント

- 母親も児もリラックスしているか。
    - ◆ 肩が上がり、緊張した状態になっていないか。
    - ◆ 手に無理な力が入っていないか。
    - ◆ 足もとが不安定ではないか。
- 児の口と母親の乳頭の高さが一致しているか。
- 児の顔が母親の乳房と向き合っているか。
- 児の耳、肩、腰のラインがまっすぐになっているか。

寝て授乳する場合（添え乳）の工夫

帝王切開での分娩後など、寝ながら授乳する場合は、ベッド柵を上げて安全を確保したうえで、クッションや枕を利用し、母親と児が側臥位で向き合い、児の口と乳頭が同じ高さになるように調整する。

- ベッド柵と母親の間にクッションを当てる
- ベッド柵を上げて、転落を予防する
- 母親の両足にクッションをはさみ、姿勢を安定させる
- 母親の手で児の背中を支える。丸めたタオルを当てて支えてもよい

CHAPTER 10 授乳の支援

CHAPTER 10

吸着（ラッチ・オン）

❶ 母親は、児を密着するように抱く。児の頭が後屈するように背中から頭を支え、顎が口の前に出るようにする。

❷ 乳頭を児の上唇の上側に付ける。児の唇が乳房に触れることにより、児が自分で乳房と乳頭を探すのを待つ。

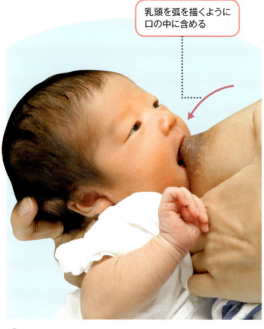

乳頭を弧を描くように口の中に含める

❸ 舌が下がっていることを確認したら、乳頭を弧を描くように口の中に含める。

児の背中または肩から抱き、決して児の頭を持って押し付けない

❹ 児の顎を乳房に十分に密着させ、乳頭乳輪部が口の中に深く入るようにする。乳頭が軟口蓋付近まで奥に入ることで、深く吸着することができる。

母乳育児のためのケア

CHECK! 新生児が吸着したときの状態

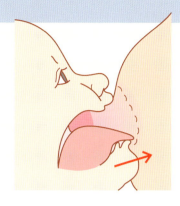

児は大きく口を開いて、母親の乳頭だけでなく乳輪、乳房までくわえている。上下の唇は外側にめくれ、舌は歯茎を越えて下唇の外側に出ていることが多い。顎は乳房に埋もれるように触れている。

授乳の終了

授乳は、児が満足するまで飲ませる。片側の乳房を自分から離すまで行い、その後、欲しがるようであれば反対側の乳房からも授乳する。

POINT
- 授乳時間が非常に長い、あるいは頻回の場合は、児が適切に吸着していない可能性を考える。

排気

児の顔を横に向け、背中をやさしく下から上に向かってさする。
児は必ず排気するわけではなく、出ない場合もある。

数回さすっても排気がなく、よく眠っているときは、児の顔を横に向けて寝かせる。

CHAPTER 10 授乳の支援

CHAPTER 10
効果的に授乳できているかの観察

母親が授乳に困難を感じていたり、児の体重が適切に増加していないようなときは、チェックリストを用いて授乳が効果的にできているかを観察し改善点を見いだす。

直接授乳観察用紙	
授乳がうまくいっているサイン	困難がありそうなサイン
全体	
お母さん	
☐ 健康そうにみえる	☐ 病気または落ち込んでいるようにみえる
☐ リラックスしており、居心地がよさそう	☐ 緊張しており、不快そうにみえる
☐ お母さんと赤ちゃんとのきずなのサイン	☐ 母子が目を合わせない
赤ちゃん	
☐ 健康そうにみえる	☐ 眠そう、具合が悪そうにみえる
☐ 穏やかでリラックスしている	☐ 落ち着きがない、泣いている
☐ 空腹時、乳房に向かったり探したりする	☐ 乳房に向かわない、探さない
乳房	
☐ 健康そうにみえる	☐ 発赤、腫脹、あるいは疼痛
☐ 痛みや不快感がない	☐ 乳房や乳頭が痛い
☐ 乳輪から離れた位置でしっかり指で支えられている	☐ 乳輪に指がかかったまま乳房を支えられている
☐ 乳頭が突出している	☐ 乳頭が扁平で、突出していない
赤ちゃんの体勢	
☐ 頭と体がまっすぐになっている	☐ 授乳をするのに、首と頭がねじれている
☐ お母さんの身体に引き寄せられて抱かれている	☐ お母さんの身体に引き寄せられて抱かれていない
☐ 身体の全体が支えられている	☐ 頭と首だけで支えられている
☐ 赤ちゃんが乳房に近づくとき、鼻が乳頭の位置にある	☐ 乳房に近づくとき、下唇、下顎が乳頭の位置にある
赤ちゃんの吸着	
☐ 乳輪は赤ちゃんの上唇の上側のほうがよくみえる	☐ 下唇の下側のほうが乳輪がよくみえる
☐ 赤ちゃんの口が大きく開いている	☐ 口が大きく開いていない
☐ 下唇が外向きに開いている	☐ 唇をすぼめている、もしくは巻き込んでいる
☐ 赤ちゃんの下顎が乳房にふれている	☐ 下顎が乳房にふれていない
哺乳	
☐ ゆっくり深く、休みのある吸啜	☐ 速くて浅い吸啜
☐ 哺乳しているときは頬がふくらんでいる	☐ 哺乳しているときに頬が内側にくぼむ
☐ 哺乳を終えるときは、赤ちゃんが乳房を離す	☐ お母さんが赤ちゃんを乳房から離してしまう
☐ お母さんがオキシトシン反射のサインに気がつく	☐ オキシトシン反射のサインに気がつかない

出典：文献5をもとに作成

母乳育児のためのケア

吸着のチェック

授乳中に母親が痛みを感じていないか確認する。児が深く吸着できていないと、乳頭に痛みを感じる。児が口唇を巻き込んで飲んでいる場合は、だんだんと飲み方が浅くなる場合が多い。

乳頭の形のチェック

授乳の途中や終了時に児が乳頭から離れたとき、乳頭の形を観察する。
母親が痛みを感じることなく、深く効果的な吸啜がなされた場合は、乳頭はその母親の本来の形に保たれているが、変形したりつぶれていたり、乳頭や乳輪に発赤、水疱、損傷がみられる場合は、抱き方や吸着の工夫が必要になる。

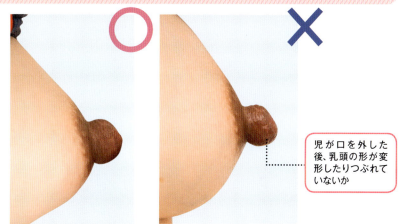

児が口を外した後、乳頭の形が変形したりつぶれていないか

母乳を飲めているかのサイン

母親は、児が十分に飲んでいても「母乳が足りないのでは？」と心配することがある。この場合は、授乳回数を目安にして哺乳量を推測する。同時に新生児の体重・尿回数・便回数から母乳が足りているかどうかを母親とともに評価する。

■母乳摂取が十分にできているサイン

生後日数	尿	便	体重減少
0（24時間まで）	1回 薄い	1回 黒 タール状・粘りつく	<5%減少
1	2〜3回 薄い	1〜2回 緑色・黒 移行便	<5%減少
2	3〜4回 薄い	3〜4回 緑色・黄色 柔らか	≦8〜10%減少
3	4〜6回以上（紙） 6〜8回以上（布）	4回〜10回 黄色・粒々が混じる	15〜30g/日

出典：文献6をもとに作成

CHAPTER 10 授乳の支援

CHAPTER 10
母子のニーズに応じた支援

看護師は、母子のその時々の必要性をアセスメントし、以下のようなかかわり方を選択する。

はじめは、母親と児が2人で授乳姿勢や吸着を工夫してみる。看護師は見守る。

EVIDENCE
■ 看護師は、人形を抱いて授乳姿勢のモデルを示す。母親が自分で授乳するほうが母親の学習効果は高まる。

「ハンズオフ」で、うまく吸着できない場合は、母親の手に看護師が手を添えて含ませたり、くわえ方を修正する。

「ハンズオンハンズ」でうまく吸着できない場合は、直接看護師が乳房や赤ちゃんに触れて介助する。

乳頭痛・乳頭に損傷がみられる場合

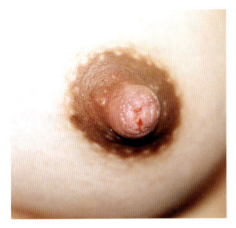

乳頭の先端をくわえて飲むなど、吸着が浅く効果的でない吸啜が続くと、乳頭に損傷や亀裂がみられることがある。

また、病的緊満などで乳房や乳頭が硬くなり児の口の中で伸びなかったり、乳頭の過剰な清拭や摩擦、感染などが原因で、乳頭に痛みを伴う皮膚損傷や亀裂、水疱や血疱ができることがある。

このような状態になると、授乳が苦痛となり、母親が母乳育児をあきらめる原因につながることもあるので、早期に解決する必要がある。

対処方法

- 授乳方法が適切であるかを確認し、深く吸着できるように母親と一緒に授乳方法の工夫を行う。
- 吸い付くと痛みがある場合は、母親の指を児の口角から入れ、指を吸わせながらいったん児を乳房から離し、再度、深く吸着し直す。亀裂のある部位に児の口角が来るような抱き方を行う。
- 児が口唇を巻き込んで吸着している場合は、母親が指で巻き込んでいる上唇を外に向ける。

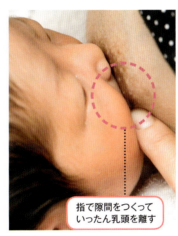

指で隙間をつくっていったん乳頭を離す

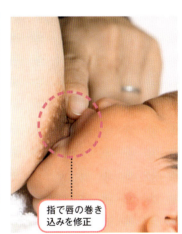

指で唇の巻き込みを修正

- 損傷や亀裂がある場合は、創部の乾燥を避けるために、授乳後に、搾乳した母乳や授乳用のラノリン(感染による損傷では、抗菌薬、抗真菌薬など処方された軟膏)を乳頭に塗布し、衣類による摩擦を防ぐために、乳頭を保護するガーゼでつくられたドーナツ枕やブレストシェルを着用する。
次回の授乳時には、塗布した軟膏を拭き取ったり、清拭をしないで授乳することを、母親に説明する。

ドーナツ枕

ブレストシェル

CHAPTER 10

乳房の病的緊満がみられる場合

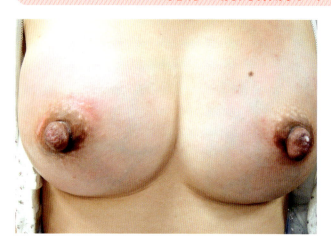

出産後2、3日から8日ぐらいにかけて母親は両側の乳房に温かく充満して重くなったように感じることが多い。このような状態は、乳房への血流の増加に加えて、母乳の産生が増加するために起こる生理的なもので（乳房の充満／生理的緊満）、この時期に児の要求に応じて頻回に授乳したり搾乳していれば、苦痛を感じたり授乳困難な状況は回避できる。しかし、頻回に授乳・搾乳が行われず、乳房から乳汁が排出されないと、乳房の張りが強くなり、発赤、腫脹、拍動痛、発熱（38.4℃以下）などの症状がみられる（乳房の病的緊満）。乳頭は扁平化し、乳輪・乳頭が硬くなり、新生児がうまく吸啜できなくなるため、直接授乳が困難になる。さらに、このような状態で授乳を行うと、乳頭痛や乳頭損傷や亀裂を起こす。また授乳ができない状態が続くと、分泌は低下していく。

このように乳房の病的緊満は、様々な乳房トラブルを引き起こすため、予防が大切である。

対処方法

- 頻回授乳・夜間授乳を行う。
- 適切な抱き方、飲ませ方を行っているか観察する。
- 乳房への湿布を行う。ただし、乳房全体を冷やす／温めるに関しては、どちらも乳房緊満を解消するというエビデンスはない。母親が心地よいと感じるほうを行う。授乳直前には温め、授乳と授乳の間は冷やすと楽になるという人が多い。
- 痛みを伴う乳房マッサージを行わない。
- 搾乳器を用いる場合は、乳頭が痛くないよう、吸引圧を調整する。
- 食事や水分の特別な制限は行わない。
- 乳房への圧迫を避ける。
- 抗炎症薬、鎮痛薬を服用する（医師への紹介）。

POINT

- 乳房の病的緊満の予防策は、出産後早期から効果的な授乳を頻回に行うことである。
- 直接乳房から授乳できない場合も頻回に搾乳を行う。
- すでに病的乳房緊満となってしまった場合は、母親の痛みに対処しながら、頻回の授乳・搾乳を行う。

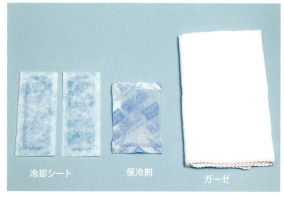

冷却シートを貼ったり、保冷剤をガーゼで包んで当てたりする。

母乳育児のためのケア

母乳不足・母乳不足感がみられる場合

母親が「母乳が足りない」と言うとき、理由は様々である。例えば母親が思い描いていた母乳育児と違う、体重が思うように増えていない、新生児が頻回に飲みたがる、なかなか眠らない、長く眠らない、乳房から母乳が滴り落ちない、前回の母乳育児がうまくいかず今回も自信がない、などである。

看護師は、母親が感じている不安について話しやすい環境をつくり、コミュニケーション・スキルを用いて現在の授乳の様子を把握する（1日の授乳回数、1回の授乳時間、夜間の授乳など）。

同時に新生児が母乳を飲めているかについて、体重、黄疸、皮膚の状態、便尿回数や性状について確認する（p134-135参照）。さらに効果的な授乳がなされているかについて、チェックリストを利用して観察する（p134参照）。

以上から得られる様々な情報をもとに、母乳が足りていないように感じる「母乳不足感」なのか、実際に母乳の産生が少ない「母乳分泌不全」なのか、または新生児が何かしらの理由により母乳が飲み取れないことで乳房に母乳がたまり、分泌量が低下したために二次的な分泌不足となっているのか、アセスメントし、見分ける必要がある。

対処方法

- 頻回に適切に授乳が行われているにもかかわらず、新生児の体重増加がみられない場合は、母親に授乳後に搾乳することを勧める（p141-143参照）。乳房を空に近い状態にすることは、次の母乳産生を増加させる。
- 搾乳した母乳や人工乳を補足するときは、スプーンや小さなカップを使用する。スプーンやカップを使用することで、母親は補足を母乳育児を継続するための一時的なものであると感じることができ、また児が哺乳びんで飲むことに慣れるのを防ぐことができる。
- 母子によっては、スムーズに母乳育児が進まないことがある。どのような状況でも看護師は母親が母乳育児に「失敗した」「つまずいた」と感じて自信を失うことがないように配慮しながら支援する。

CHAPTER 10 授乳の支援

カップ授乳

- 小さなカップに、搾母乳か人工乳を用意する。飲みながらこぼすため、必要量よりも多く準備する。
- 膝の上で児の身体を起こして座らせるか、半分ほど身体を起こして座らせる。タオルで児をくるむと安定して授乳できる。
- カップの先端を児の下唇に軽くのせ、カップの縁を上唇の外側に触れるようにする。乳汁が児の唇に届くように、カップを傾ける。

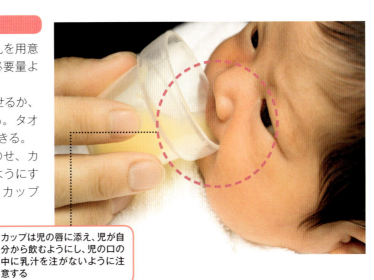

カップは児の唇に添え、児が自分から飲むようにし、児の口の中に乳汁を注がないように注意する

CHAPTER 10

陥没乳頭で児が乳房に直接吸着できない場合

陥没乳頭や扁平乳頭など、乳頭の形によっては、直接授乳が困難な場合がある。

対処方法

児が乳房全体を大きくくわえるようにする

- 児が母乳を飲むとき、乳輪や乳輪を越えて乳房まで深くくわえて飲む。したがって乳頭の長さが短い場合でも、赤ちゃんは乳房全体を大きくくわえることで、直接母親の乳房から飲むことができる。
- そのためには、児が大きな口を開けられることのほかに、乳房が硬すぎないこと、母乳の分泌があることが重要である。

ニップルシールドを使用する

- ニップルシールドは、乳頭を保護しながら、直接授乳を補助する器具である。
- 使用方法、使用する際の注意点の説明だけでなく、はずしていく方法など、使用後のフォローも行う。

POINT

- 新生児の成長に伴って、口が大きく開き、吸啜力が高まる。児が成長して直接授乳ができるようになるまで時間がかかることが予測される場合は、母乳の分泌を維持するために必ず3時間ごとに搾乳を行う。

ニップルシールド

COLUMN — よくある質問2

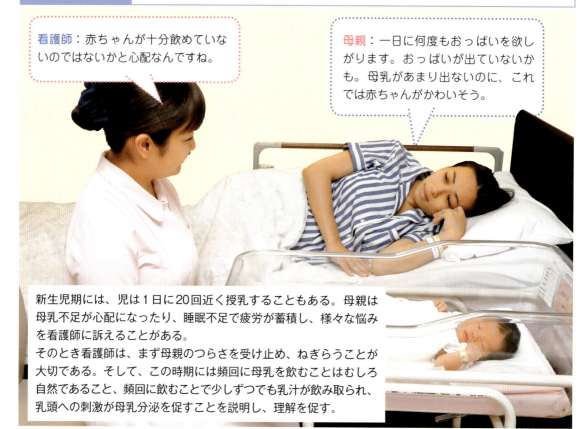

看護師：赤ちゃんが十分飲めていないのではないかと心配なんですね。

母親：一日に何度もおっぱいを欲しがります。おっぱいが出ていないかも。母乳があまり出ないのに、これでは赤ちゃんがかわいそう。

新生児期には、児は1日に20回近く授乳することもある。母親は母乳不足が心配になったり、睡眠不足で疲労が蓄積し、様々な悩みを看護師に訴えることがある。
そのとき看護師は、まず母親のつらさを受け止め、ねぎらうことが大切である。そして、この時期には頻回に母乳を飲むことはむしろ自然であること、頻回に飲むことで少しずつでも乳汁が飲み取られ、乳頭への刺激が母乳分泌を促すことを説明し、理解を促す。

CHAPTER 11 搾乳の支援

児が新生児集中治療室（NICU）に入院したり母親が入院するなど、母子分離となり直接授乳できないときや、母子が一時的に直接授乳できない様々な状況にあるときには、搾乳によって母乳育児を行うことができる。入院中に機会をとらえて、母親に搾乳方法を説明して実際に行う機会をつくることが、母乳育児継続の助けになる。

目 的

1. 母親が母乳分泌を維持し、乳房トラブルを予防できるよう支援する。
2. 母親が効果的な搾乳方法と搾母乳の安全な飲ませ方を身につけ、母乳育児を継続できるよう支援する。

搾乳が必要な場合

- 児がNICUに入院したり母親が入院するなど、母子分離となり直接授乳できないとき。
- 乳輪・乳頭が硬いために飲ませにくいとき。
- 陥没や扁平乳頭、乳頭損傷で直接乳房から飲ませられないとき。
- 授乳時間が開いたとき、または児が十分に飲まなかったとき（乳汁うっ滞を予防するため）。
- 母乳分泌量を増加させたいとき（授乳後に後搾乳することによって分泌量を増加させる）。
- 母親が職場復帰するとき。
- 母乳を止めるとき（卒乳・断乳をしたとき、乳汁うっ滞しないようにし乳腺炎を予防する）。

手による搾乳の実際

必要物品の準備

1. 清潔な容器
2. 冷凍用母乳バッグ
3. 母乳バッグ用ラベル
4. タオル

＊写真の容器は搾乳後のイメージ。

POINT

- 写真のように搾母乳を入れる容器に哺乳びんを使うときは、広口びんを使用すると便利。
- 搾母乳を冷凍保存する場合は、冷凍用母乳バッグを用意する。

CHAPTER 11

搾乳の実施

搾乳操作は、授乳と同じように、母親が自分で最も効果的に搾乳できる方法をみつけていく。

搾乳時は、実施者は手を洗い、乳頭から2～3cm離れたところ（乳輪と乳腺体の境目あたり）に拇指と示指を当てる。拇指・示指で乳輪を軽く外側に開くように胸壁に向かって押し、新生児が飲むリズム（1秒間に1・2回）で指と指の腹を打ち合わせる。

EVIDENCE

- 母乳が出やすくなる操作として、母親がリラックスする、児のことを思う、乳房を温める、自分で乳房をマッサージしたりさすったり、指で乳頭をつまんでやさしく刺激する、ほかの人に背中をマッサージしてもらう、などがある（文献1）。

搾乳時に注意すること

- 環境調整をする。母親がリラックスでき、プライバシーが守られる場所を用意する。
- 看護師は、乳型を使用し、搾乳方法を見せるが、授乳支援と同じように、「正しい搾乳方法」を示すのではなく、母親が効果的な搾乳方法を自分で見いだすよう励ます。
- 乳房の解剖学に沿った方法となるように説明する。乳頭をつまむ、引っ張る、ひねる、しごくなど、搾乳でも行わないように説明する。

つまむ

引っ張る

ひねる
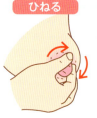

しごく

母乳育児のためのケア

搾乳器による搾乳方法

長期間搾乳が必要な場合は、搾乳器を使用する方法を母親に提案する。搾乳器による搾乳には、電動搾乳器と手動の搾乳器がある。

必要物品の準備
❶ 搾乳器（電動または手動）　❷ 冷凍用母乳バッグ　❸ タオル

POINT
- 母親が搾乳器を使いたい場合は、自分に合った搾乳器を選ぶことができるように、情報を提供する。
- 電動搾乳器には、両方の乳房を同時に搾乳できるものがある。両方の乳房を同時に搾乳すると、母親のプロラクチン濃度は高くなる。

電動搾乳器

手動搾乳器

写真提供：メデラ株式会社

POINT
- 搾乳キットは、母親自身で購入する。

必要物品の準備

- 搾乳器の使い方について、実際に使用するところを見せたり、説明書を一緒に読み、使い方について母親が具体的に学ぶことができるようにする。
- 搾乳器を使用するときは、リラックスできる椅子に座って行う。
- 快適に感じる吸引圧で吸引できるように調整する。
- 吸引は、調節が可能であれば、児の吸啜パターンに近いリズムに調整する。
- 搾乳器のカップや搾乳口の大きさは、母親の乳頭や乳房の大きさに合ったものを選ぶ。
- 消毒方法など器具の取り扱いを説明する。特に病院内で搾乳器を使用する場合は、他の母親との共用による感染を防ぐため、管理に留意する。

POINT
- 搾乳器を使用しても搾乳できないか、わずかな量しか搾乳できない場合は、搾乳器が作動しているか、使用方法は適切かを確認する。

CHAPTER 11

搾母乳の取り扱い

保存 搾母乳は、室温、冷蔵庫、冷凍室などの保存方法により、安全な保存期間が異なる。用途や乳児の状態に合った保存方法を選択する。

■推奨される母乳の保存期間

方法		健康な乳児	NICU入院児
新鮮母乳	室温(26℃)	4時間未満	4時間未満[*1]
	冷蔵庫(4℃)	8日未満[*2]	8日未満[*2]
	クーラーボックス(15℃)	24時間未満	勧めない(運搬はOK)
冷凍母乳	1ドア冷蔵庫製氷室	2週間	勧めない
	2ドア冷凍冷蔵庫(-20℃)	12か月[*3]	12か月[*3]
解凍母乳	4℃	24時間未満	24時間未満

*1：冷蔵する予定の母乳は搾乳後直ちに冷蔵する。
*2：細菌数は8日以降も減少するが、栄養的・免疫的な質は長期冷蔵で損なわれる可能性あり(引用元筆者注：したがって、従来どおり48時間を目安とすることが望ましい)
*3：ただし3か月未満が理想
出典：Frances Jones et al. (2005) *Best Practice for Expressing, Storing and Handling Human Milk in Hospitals, Homes and Child Care Setting*, Human Milk Banking Association of North America / Wright NE et al. (2008) *Best Medicine; Human Milk in the NICU*, Hale Publishing および文献2をもとに作成

取り扱い

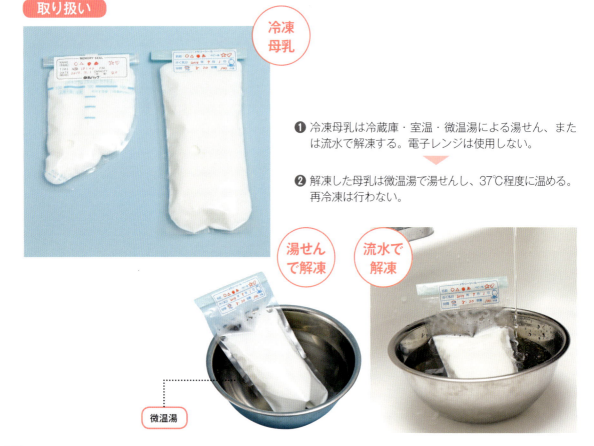

冷凍母乳

❶ 冷凍母乳は冷蔵庫・室温・微温湯による湯せん、または流水で解凍する。電子レンジは使用しない。

❷ 解凍した母乳は微温湯で湯せんし、37℃程度に温める。再冷凍は行わない。

湯せんで解凍　流水で解凍

微温湯

COLUMN　　　　　　　　　　　　　　　　　　　　WHOコード

「母乳代用品のマーケティングに関する国際規準」

母乳育児支援を行う医療者にとって、倫理的規範と同じく重要な指針は、「母乳代用品のマーケティングに関する国際規準」(通称「WHOコード」)である。

> 「母乳代用品のマーケティングに関する国際規準」
> International Code of Marketing of Breast-milk Substitutes
> **国際規準の要旨**
> 1. 消費者一般に対して、母乳代用品とその他の製品の宣伝・広告をしてはいけない
> 2. 母乳代用品と支給品を産院に寄付してはいけない
> 3. 母親に試供品を渡してはいけない
> 4. 保健医療施設で販売促進活動をしてはいけない
> 5. 企業の社員は母親に助言してはいけない
> 6. 保健医療従事者に贈り物をしたり、試供品を個人的に提供してはいけない
> 7. 母親に乳児の栄養について教えるとき、企業によって支援を受けたり、提供されたような場所や用具、教材を使用してはいけない
> 8. 製品のラベル(表示)には人工栄養を理想化するような赤ちゃんの写真や絵、その他の写真や絵を使用してはいけない

WHOコードができた経緯

世界的に母乳育児率が低迷した原因の一つに、乳業会社が自社製品の販売市場を拡大するために過剰な宣伝を行い人工乳の販売を促進したことがある。それによって、母乳育児ができる母親も人工乳を使用するようになり、衛生状態の悪い国や地域では、児の下痢や栄養不良を引き起こして新生児の健康を脅かし、乳児死亡率を高める結果となった。
この状況に対して世界中で乳業会社の過剰な販売戦略に対する抗議運動が起こったため、WHOは1981年に「WHOコード」を発表し、各国で母乳代用品のマーケティングに関する規制を設けて母乳育児を保護し、乳幼児の健康と生存を保護するための方針を打ち出した。

WHOコードが対象とするもの

WHOコードは、人工乳や哺乳びんを否定するものではない。販売も使用も個々の自由選択であり、母乳育児ができない母子や、母乳育児中の母子でも適切に使用される限りにおいては、問題にしていない。
WHOコードが対象としているのは、事実に基づかない情報提供や過剰な宣伝・広告の方法である。粉ミルクの缶にかわいい赤ちゃんの絵や写真が描かれていたり、「母乳と同じ」という文言が書かれているものは、WHOコード違反である。このような宣伝は、「この製品を使うと、こんなにかわいく元気な赤ちゃんになります」という暗黙のメッセージを母親に送り、人工乳が不要な場合でも人工乳を使うことに誘導する危険性が生じるからである。

CHAPTER 12 帝王切開手術で出産した母親への支援

帝王切開手術で出産したときは、母親の術後痛の程度と動静の拡大に合わせて母乳育児を進める。出生した新生児がすぐにNICUに入院して母子分離する場合もあれば、産褥棟にて母子同室にすることもある。看護師は、どのような状況にある母子に対しても、できるだけ早期に母子が触れ合える機会をつくり、母乳育児を開始できるように支援する。帝王切開（特に予期せぬ緊急帝王切開）で出産した母親は、失敗感や罪悪感を抱くことがある。母親の気持ちを十分受け止めながら、母子の触れ合いを通して関係性をつくり、新たな出発点として母乳育児がスムーズに進むよう支援する。

目 的
1. 帝王切開手術後の母子の状況に応じた触れ合いと母乳育児を支援する。
2. 母親の痛みや疲れに合わせて、安楽な直接授乳を支援する。

早期母子接触
麻酔方法によっては、手術中からの早期母子接触は可能である。

POINT
- ベッド柵、クッションなどを使用し、新生児がベッドから転落しないよう安全を確保する。
- 母親は手術後の点滴中であることが多いため、輸液ライン、血圧計のコード、膀胱留置カテーテルなどに注意し、屈曲・圧迫がないように配慮する。
- 新生児が動いても、下肢が母親の創部に触れないよう工夫する。
- 看護師が母子のそばを離れるときは、必ず、母親の目で新生児の顔色を観察できる位置に抱っこされていること、ナースコールが母親の手の届く位置にあることを確認する。

母乳育児支援
術後数日間は、点滴をはじめとする医療処置や創部の疼痛で思うような動きがとりにくいため、授乳には、毎回介助が必要である。母親が一人で授乳できるようになるまで、看護師が介助しながら安楽な体位で授乳が行えるようにする。

安全確保

母乳育児のためのケア

授乳方法 帝王切開後の母親が創部に負担をかけず快適に授乳ができる授乳姿勢として、添え乳（寝て授乳する方法）と、座っての授乳（ファウラー位）がある。

添え乳

❶ 母親がベッドの柵を握り、腹部に負担をかけないように、自分で、もしくは介助されながらゆっくりと横向きになる。身体を左右に傾けた状態でいられるよう、背中と柵の間にクッションを入れる。

❷ 乳房と児の顔が向き合うように横向きに児を寝かせ、児の背中をタオルや枕で支える。児の口を母親の乳頭の高さに合わせる。母親に無理のない腕の位置を探し、児の身体の下にバスタオルを入れる。また、児が創部を足で蹴っても痛くないように、丸めたバスタオルなどで創部を覆う。

❸ 児の吸啜反射とタイミングを合わせて吸着させる。口の開き、口唇の位置に留意する。

❹ 児の吸啜が休みがちになったら、反対側の乳房も吸着させる。

座っての授乳（ファウラー位）

ベッドの背をファウラー位（頭部を30〜45度上げる傾斜位）とし、枕やクッションを用いて、肩や腕などに不必要な力が入らないような体勢をとる。
母親と児がともに安楽な姿勢を工夫する。
脇抱きは、創部に直接児が当たらず、腹部への圧迫がないため、快適な方法であることが多い。
横抱きを採用する場合は、腹部にクッションを当て、創部を保護する。

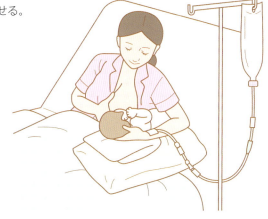

CHECK! 退院後の支援も重要

特別な母乳育児支援を行う母子には、退院後も長期間支援が必要な場合が多い。退院後に地域で利用できる公的支援や母親たちの自助グループについて情報提供するとともに、開業助産所や母乳育児支援専門家へ支援が継続されるよう働きかける必要がある。

TOPICS

母性看護における災害対策

母子（妊産婦や乳幼児）は、災害情報の把握や避難行動、避難生活に支援を要するため「災害時要援護者」としてとらえ、入院中のみならず退院後の生活も含め、いつ災害が発生しても対応できるよう対策を実施する必要がある。

災害対策には、「備え」「予防」「緩和」があるが、ここでは看護師が行う施設の備えと、退院後に家族が行う備え（退院指導内容）について説明する。

目的
- 日ごろより災害への備えを行うことで、災害発生時のリスクを最小限にする。
- 発災時に、母子の心身の安全を確保するための行動をとれるように備える。

看護者が行う施設の備え

①病棟・病室の安全対策
- 基本的には、各施設（病院・診療所・助産所）の防災対策マニュアルに従う。防災マニュアル・危機管理体制は定期的に点検する。
- 母子に特化した安全対策をとる。

対策例	具体策
ベッド、ベビーコット、保育器、カートの固定方法は、施設の構造（耐震・免震）および床の状態（フローリング、カーペットなど）から判断し、検討しておく。	施設が耐震構造の場合、ベビーコットは対角2点ロックで固定する。
停電・断水時に使用できる物品を準備しておく。	保温シート、ラップ類、紙コップ、新聞紙などの物品を準備しておく。

- 現実的な防災訓練を、定期的に行う。

②助産師、妊産婦への災害啓発・教育
- 妊産婦の入院オリエンテーションに、以下のような災害対策の内容を含める。

災害を想定した環境整備への配慮（ベビーコットはガラス窓の傍に置かないなど）
地震発生直後の安全行動（自分と子どもの身を守る）の方法
避難時の新生児避難用具の使用方法

- 原則として母子同室とし、母親が子どもを預ける場合には、母親の所在を示すカードなどを新生児のコットに表示できるようにする。
- 早期の母乳育児確立に向けた援助を行う。

避難用具例

家族が行う退院後の備え

ライフラインが途絶える災害時には、母乳育児が最も衛生的で乳児に適した栄養法となる。したがって、母親が安心して母乳を飲ませ続けられるように支援することが重要である。災害に対する退院時の指導内容には、以下のようなものがある。

①母乳育児の継続
- 災害時は極度のストレスによって、母乳の分泌が少なくなることがある。
  ⇒一時的なものであり、子どもの欲求に応じて授乳することで、分泌が回復することを伝える。
- 災害時は、これまでの授乳リズムが乱れたり、搾乳がうまく行えないことなどから乳腺炎などのトラブルが起こりやすい。
  ⇒頻回の授乳が予防につながることを伝える。
- 直接授乳が困難な場合、災害時は清潔な哺乳びんや人工乳首が準備できないことがある。
  ⇒搾乳を紙コップで飲ませることができることを伝える。

②子育て環境の備え
- 家の耐震性、室内の安全性の確認
  家の耐震性と室内の安全性は、地震から命を守るうえで重要であることを伝える。家の耐震性を確認するとともに、家具の固定、照明の落下防止、ガラスの飛散防止など、安全性を高めるための方策を伝える。
- 防災用品の準備
  ⇒ライフラインの断絶などに対応するため、最低限3日間分準備することを伝える。
- 家族で対策を共有
  ⇒災害が発生したときの行動について家族で話し合い、避難場所、災害伝言ダイヤルのほか、地域子育て支援拠点の利用などを共有しておくよう伝える。

■防災用品例

①	自分の身を守るための物品	靴、懐中電灯、軍手、帽子/ヘルメットなど
②	健康保持のための物品	常備薬、ウエットティッシュなど
③	情報収集のための物品	携帯用ラジオ、公衆電話用の硬貨など
④	児のための物品	紙オムツ、お尻拭き、使い捨てカイロなど、清潔・保温に必要な物品
⑤	生活のための物品	非常食、飲料水、保温シート、生理用品、新聞紙、ビニール袋など
⑥	日常の備蓄用品以外に常備しておいたほうがよいもの（乳幼児がいる場合）	マスク、子どもの着替え、靴下、バスタオル、タオル、ティッシュペーパー、スプーン、紙コップ、子どもに合ったベビーフード(びん詰め)やおやつなど

③非常持ち出し物品の準備
- 日ごろ、使用するバッグを背負えるようにしておくことも伝える。
- 母子健康手帳は常に携帯する。

参考文献

CHAPTER 1 母性看護技術で育まれる母子（親子）相互作用

1) 永田雅子「親子相互作用」(2016)『周産期医学　必修知識』(『周産期医学』増刊号) 46
2) ミシェル・オダン (2014)『お産でいちばん大切なこととは何か；プラスチック時代の出産と愛情ホルモンの未来』(太田康江訳, 井上裕美監訳)メディカ出版
3) 宮本健作 (1990)『母と子の絆』(中公新書)中央公論社
4) マーシャル・H クラウス, フィリィス・H クラウス (1986)『新生児の世界；そのすばらしい広がり』(竹内徹訳)メディサイエンス社
5) 喜多里己, 村上明美, 神谷桂, 一瀬いつ子, 茅野祥子, 木村紗恵子 (2006)「産後早期の母親に対する癒しケアの効果（第一報）；入院中の母親の疲労に対する効果」『日本助産学会誌』19 (3): 120-121
6) 神谷桂, 村上明美, 喜多里己, 一瀬いつ子, 茅野祥子, 木村紗恵子 (2007)「産後早期の母親に対する癒しケアの効果（第二報）；産褥一ヶ月までの母乳育児に対する効果」『日本助産学会誌20』(3): 118
7) 井村真澄 (2007)「正常な初産後の母親へのアロマセラピーおよびマッサージアロマセラピーの心理・生化学的効果に関するランダム化比較臨床試験」『日本助産学会誌』20 (3): 78
8) 竹崎裕子, 畑中ともえ, 脇本和美, 松浦美由紀, 子安恵子, 安達久美子 (2007)「褥婦への背部マッサージによる緩和効果の検討」『日本助産学会誌』20 (3): 79
9) 武市洋美 (2004)「母乳育児成功のための10ヵ条；第7条 母親と赤ちゃんがいっしょにいられるように, 終日, 母子同室を実施しましょう」『助産雑誌』58 (5): 50-54
10) 相川祐里 (2004)「周産期の女性が体験した医療者からのポジティブ・サポートとネガティブ・サポート」『日本助産学会誌』18 (2): 34-43
11) 千葉邦子 (2007)「褥婦へのネガティブサポートに対する助産師の認識」『第8回日本赤十字看護学会学術集会講演集』p100-101
12) Reva Rubin (1961)"Puerperal change", *Nursing Outlook* 9 (12): 753-755
13) 日本看護協会監修 (2005)『新版　助産師業務要覧』日本看護協会出版会, p56
14) 広重力, 本間研一, 本間さと (1984)『内分泌と母性行動 生理学の立場から 母性行動と内分泌の基礎』『産婦人科の世界』36 (2): 105-110
15) 前原澄子 (2008)「母性看護学の概要」『看護と情報』15: 8-12

CHAPTER 2　産褥復古の観察

1) 江守陽子 (2006)「褥婦のアセスメントと健康支援」(我部山キヨ子編集『臨床助産師必携; 生命と文化をふまえた支援』医学書院) p326

CHAPTER 3　褥婦の健康と快適さを促すためのケア

1) 尾家重治ほか編集 (2004)「付録 よく使う機材の処理方法」『洗浄・消毒・滅菌のポイント209; EBMに基づいて速効解決』(『INFECTIONCONTROL』増刊) メディカ出版
2) 村上明美, 喜多里己, 神谷桂 (2007)『産後早期の母親に対する癒しケアの効果; 母親の疲労回復と母乳育児への影響』(平成16年度～平成18年度科学研究費補助金基盤研究C)
3) 井村真澄 (2007)「産褥期のアロマセラピー」『助産雑誌』61 (7): 596-601
4) 鮫島浩二 (2004)『妊娠・出産・育児のためのアロマセラピー』池田書店
5) Curtis S, 梶尾健二, 伊藤美保, 黒田直美 (1996/1998)『エッセンシャルオイルブック』双葉社
6) 井村真澄, 黒川寿美江, 金子美紀 (2011)「産後の褥婦への10分間マッサージ 1. 理論編」『看護技術』57 (3): 52-54
7) 井村真澄, 黒川寿美江, 金子美紀, 山内淳子, 佐藤由美子, 込山恵子, 来田美鈴, 今村美代子 (2010)「産後の褥婦への10分手順マッサージの効果検証」『日本助産学会誌』23 (3): 464
8) Kenyon Nakakita Michiko (2015)「産褥1日目の褥婦に対する背部マッサージのリラクゼーション効果に対する無作為化比較試験」『Japan Journal of Nursing Science』12 (2): 87-98
9) 井村真澄, 操華子, 牛島廣治 (2005)「正常な初産後の褥婦に対するアロマ・マッサージ効果に関する臨床研究; マタニティブルーズ, 不安, 気分, 胎児感情, 唾液中コルチゾールについて」『アロマテラピー学会誌』5(1): 17-27
10) 黒川寿美江, 金子美紀, 井村真澄 (2011)「産後の褥婦への10分間マッサージ 2. 実践編」『看護技術』57 (3): 55-61
11) Imura M, Misao H, Ushijima H (2006) "The Psychological Effects of Aromatherapy-Massage in Healthy Postpartum Mothers", *Journal of Midwifery & Women's Health* 51 (2): 21-27

参考文献

CHAPTER 4　健康な新生児の全身観察

1) 堀田麻美子, 後藤則子, 石井順子, 前川恭子 (2001)「小児の頸部検温の有用性に関する検討」『日本看護学会論文集 (小児看護)』31: 12-14
2) 村田文也ほか (1973)「新生児高ビリルビン血症の光線療法; 臨床的諸問題」『小児外科・内科』5：301
3) 上原茂樹 (1978)「A. 新生児の生理」(武谷雄二総編集『新女性医学大系25　正常分娩』中山書店) p247
4) 松井晃 (2006)『新生児ME機器サポートブック; 赤ちゃんにやさしい使い方がわかる』メディカ出版
5) 仁志田博司 (2004)『新生児学入門　第3版』医学書院
6) 仁科秀則 (1995)「胎児・乳児; 体温調節の個体発生」(入來正躬編『体温調節のしくみ』文光堂)
7) 島田三恵子 (2004)「新生児期に用いられる基礎助産技術」(青木康子, 加藤尚美, 平澤美恵子編『助産学体系　第7巻　助産診断・技術学Ⅰ』日本看護協会出版会)
8) 山蔭道明 (2005)『体温のバイオロジー; 体温はなぜ37℃なのか』メディカル・サイエンス・インターナショナル
9) 山内豊明 (2005)『フィジカルアセスメントガイドブック; 目と手と耳でここまでわかる』医学書院

CHAPTER 5　新生児の身体計測

1) 厚生労働省雇用均等・児童家庭局母子保健課 (2000)「乳幼児身体発育値」『平成12年乳幼児身体発育調査報告書』
2) 今津ひとみ, 加藤尚美 (2006)『母性看護学 2. 産褥・新生児』医歯薬出版, p134

CHAPTER 6　新生児の清潔ケア

1) Roberton NRC (1996)『ロバートン正常新生児ケアマニュアル』(竹内徹訳) メディカ出版, p68

2) Rutter N (1992)"Temperature control and its disorder" in Robertson NRC ed., *Textbook of Neonatology* 2nd Ed., Churchill Livingstone, Edinburgh, p217-231
3) Hey EN, O'Connell B (1970)"Oxygen consumption and heat balance in the cot-nursed baby" *Archives of disease in childhood* 45 (241): 335-343.
4) Hey EN, Katz G (1970)"The optimum thermal environment for naked baby" *Archives of disease in childhood* 45 (241): 328-334.
5) Roberton NRC (1996)前掲書p170
6) 水野克己, 下条直樹, 馬場直子編著 (2016)『子どものアレルギー×母乳育児×スキンケア』(Breastfeeding for a medical pr)南山堂, p95
7) 山内芳忠 (2001)「胎児ってなに？」『周産期医学』31 (78): 834-847
8) 松村沙衣子ほか (2002)「沐浴と体重減少の関係について」『母性衛生』43 (4): 605-608
9) 水野克己, 下条直樹, 馬場直子編著 (2016)前掲書p101
10) 同書p99
11) 同書p93-111
12) 仁志田博司 (2004)『新生児学入門　第3版』医学書院, p55
13) 鈴木美哉子 (2003)「保清；沐浴・湿疹・あせも・おむつかぶれ」(『PERINATAL CARE 夏季増刊』メディカ出版)p187-191
14) 山岸貴子 (2004)「新生児の清潔法；沐浴からドライテクニックへ」『ExpartNurse』20 (5): 22-24
15) 石井理恵,塚本久美栄ほか (2007)「清潔ケアと環境整備」『Neonatal Care』20 (4): 48-52.
16) 市六輝美 (2007)「新生児によくある皮膚トラブルとその対応」『Neonatal Care』20 (3): 25-33

CHAPTER 8　母乳育児支援の基本

1) NPO法人日本ラクテーション・コンサルタント協会『母乳育児支援スタンダード 第2版』医学書院, p64-77
2) 渡辺和香 (2004)「第3条 妊娠したすべての女性に母乳育児の利点とその方法に関する情報を提供しましょう」『助産雑誌』58 (5): 394-399

参考文献

CHAPTER 9　出産直後の早期母子接触と母乳育児の開始

1) NPO法人日本ラクテーション・コンサルタント協会 (2015)「13. 出生直後の母乳育児支援」(『母乳育児支援スタンダード 第2版』医学書院) p148-159
2) UNICEF, WHO (2009)「5. 出産の実践と母乳育児」(『UNICEF/WHO 赤ちゃんとお母さんにやさしい母乳育児支援ガイドベーシック・コース;「母乳育児成功のための10カ条」の実践』〔BFHI2009翻訳編集委員会訳〕医学書院) p113-122
3) 日本周産期・新生児医学会 (2012)「早期母子接触」実施の留意点」(https://www.jspnm.com/sbsv13_8.pdf)[2017/11/1アクセス]
4) WHO (1998/2005)『母乳育児成功のための10か条のエビデンス』(日本母乳の会編・訳)日本母乳の会, p42-51
5) 堀内勁 (2004)Christensson K, Cabrera T, Christensson E, Uvnäs-Moberg K, Winberg J (1995)"Separation distress call in the human neonate in the absence of maternal body contact" Acta Paediatrica 84 (5): 468-73
6) WHO (1998/2005)前掲書p42-50
7) UNICEF・WHO (2003)『UNICEF/WHO 母乳育児支援ガイド』(橋本武夫監訳, 日本ラクテーション・コンサルタント協会訳)医学書院, p23
8) 伊東利幸, 石田明人 (2007)「分娩直後のカンガルーケア中に異常を認めたときの対応」『ペリネイタルケア』26 (3): 236-239
9) 竹内正人, 山本正子 (2008)「新たな視点で学ぼう! 分娩直後のカンガルーケア～Birth Kangaroo Care; BKC　第1回　なぜいま,カンガルーケア (BKC)が必要なのか?」『ペリネイタルケア』27 (4): 386-390
10) WHO (1998/2005)前掲書p82-87
11) 同書p75-79
12) "Caring For Your Baby At Night; A Guide for Parents" (https://www.unicef.org.uk/babyfriendly/wp-content/uploads/sites/2/2011/11/Caring-for-your-baby-at-night_online-singles.pdf)[2017/11/1アクセス]
13) Varendi H, Porter RH (2001)"Breast odour as the only maternal stimulus elicits crawling towards the odour source" Acta Paediatrica 90 (4): 372-5
14) Sullivan RM, Toubas P (1998)"Clinical usefulness of maternal odor in

newborns; soothing and feeding preparatory responses" Biology of the Neonate 74 (6): 402-8
15) Mizuno K, Ueda A (2004)"Antenatal olfactory learning influences infant feeding" Early Human Development 76 (2): 83-90

CHAPTER 10　授乳の支援

1) 中山真由美（2007）「授乳前には乳頭を消毒しなければならないのでしょうか?」『ペリネイタルケア』26 (2):115
2) UNICEF, WHO (2003)『UNICEF/WHO 母乳育児支援ガイド』(橋本武夫監訳, 日本ラクテーション・コンサルタント協会訳)医学書院, p33
3) International Lactation Consultant Association [ILCA] (1994/2003)『生後14日間の母乳育児援助エビデンスに基づくガイドライン』(瀬尾智子, 井村真澄, 張尚美, 他訳)日本ラクテーション・コンサルタント協会（JALC）, p8-9
4) NPO法人日本ラクテーション・コンサルタント協会（2015）『母乳育児支援スタンダード 第2版』医学書院, p106-115
5) UNICEF, WHO (2009)『UNICEF/WHO 赤ちゃんとお母さんにやさしい母乳育児支援ガイド ベーシック・コース;「母乳育児成功のための10カ条」の実践』(BFHI2009翻訳編集委員会訳)医学書院, p166
6) NPO法人日本ラクテーション・コンサルタント協会（2015）前掲書p177

CHAPTER 11　搾乳の支援

1) UNICEF, WHO (2009)『UNICEF/WHO 赤ちゃんとお母さんにやさしい母乳育児支援ガイド ベーシック・コース;「母乳育児成功のための10カ条」の実践』(BFHI2009翻訳編集委員会訳)医学書院, p134-135
2) 大山牧子（2009）『第2版 NICUスタッフのための母乳育児支援ハンドブック』メディカ出版, p76

索引

あ

愛情ホルモン……13
愛着形成……14
赤ちゃんが安全に眠る場所……124
赤ちゃんにやさしい病院運動……115
秋山 - 中村法……62
アシドーシス……63
圧痕……30
アドレナリン……13
アロマセラピー……47, 125

い

移行乳……129
移行便……55
異常呼吸音……58
異常な悪露……29
衣類の選び方……101

え

腋窩温……59
エッセンシャルオイル……44
エンドクリン・コントロール　⇒内分泌調整の項

お

黄色悪露……29
黄疸……61, 62
オートクリン・コントロール　⇒自己分泌調整の項
オキシトシン……13, 25
おっぱいを欲しがっているサイン……129
オムツかぶれ
　　⇒オムツ皮膚炎の項
オムツの選択……102
オムツ皮膚炎……97
オルトラーニ法……68
悪露……27, 28
悪露滞留……29
悪露の性状……29

か

外陰部・悪露の観察……28
外性器奇形……68
解凍母乳……144
開排制限……68
下肢の浮腫……43
下肢浮腫の観察……30
家族へのかかわり……16
肩の運動……42
肩の温罨法……41
褐色悪露……29
褐色脂肪組織……60
カップ授乳……139
家庭で沐浴を行うためのアドバイス……94
カテコールアミン……13
カンガルーケア……118
汗疹……97
関節可動域……61
感染症……63
陥没呼吸……57, 58
陥没乳頭……140

き

吸着のチェック……135
吸啜反射……65
胸囲の測定……72
強擦法……46

く

クラマー法……62

け

軽擦法……46
経皮的ビリルビン値……61
経皮ビリルビン計……61
頸部温……60
痙攣……67
ケーゲル体操……38
血性悪露……29
血清ビリルビン値……61, 62
肩甲難産……66
原始歩行……65

こ

口蓋裂……64
交換輸血……62
合指症……67, 68
口唇裂……64
光線療法……62
光線療法開始のための暫定基準案……63
高ビリルビン血症……62

股関節脱臼……………………………68
呼吸音………………………………58
呼吸窮迫…………………………57, 63
呼吸数………………………………57
呼吸の観察…………………………57
骨盤位分娩…………………………66
骨盤底筋群…………………………38
骨縫合………………………………64

さ

災害啓発・教育……………………148
災害対策……………………………148
臍の消毒……………………………77
搾乳…………………………………142
鎖肛…………………………………67
鎖骨骨折……………………………66
猿線…………………………………67
三陰交………………………………45
産後うつ……………………………16
産褥体操
　足首の運動………………………33
　下肢の運動………………………39
　肩関節と胸筋の運動……………36
　首の運動…………………………35
　骨盤底筋群の強化………………37
　側腹筋の運動……………………41
　背筋の運動………………………40
　腹筋の強化………………………37
産瘤……………………………64, 65

し

子宮収縮状態……………………23, 25
子宮底長……………………………24
子宮の大きさの変化………………24
子宮の復古…………………………25
子宮復古不全………………………20
自己分泌調整………………………129
児の覚醒State……………………128
射乳…………………………………25
出産でいちばん大切な産婦のニーズ……14
手動搾乳器…………………………143
授乳姿勢
　交差横抱き………………………130
　縦抱き……………………………130
　横抱き……………………………130
　リクライニング授乳……………131
　脇抱き……………………………130

授乳に適した児の状態……………128
腫瘤…………………………………68
蒸散…………………………………75
脂溶性ビタミン……………………129
初乳…………………………………129
耳瘻腔………………………………64
脂漏性湿疹……………………95, 97
心音…………………………………59
呻吟……………………………57, 58
神経反射……………………………65
心雑音………………………………59
新生児覚醒…………………………119
新生児仮死…………………………63
新生児の熱の喪失…………………75
新生児の皮膚の色調変化…………62
新生児溶血性疾患…………………63
新生児用ベッド……………………105
振戦…………………………………67
新鮮母乳……………………………144
身体計測の平均値…………………73
身長計………………………………72
身長の測定…………………………71
心拍数………………………………59
心理面への配慮……………………15

す

ストレスホルモン……………………13

せ

生活環境への配慮…………………14
成乳…………………………………129
生理的黄疸の進行…………………62
生理的体重減少率…………………71
赤色悪露……………………………29
先天歯………………………………64

そ

早期母子接触………………………119
添え乳………………………………131
足浴バケツ…………………………45

た

ターンオーバー……………………75
退院後の生活に向けたかかわり…17
退院指導……………………………18

索　引

た
体温 …………………………………… 59
胎脂 …………………………………… 75
体重減少 ……………………………… 135
体重の測定 …………………………… 71
体重の評価 …………………………… 71
胎便 …………………………………… 55
対流 …………………………………… 75
多呼吸 ………………………………… 58, 59
多指症 ………………………………… 67, 68
探索反射 ……………………………… 65

ち
チアノーゼ …………………………… 58, 59
恥骨結合上縁 ………………………… 24
聴診器 ………………………………… 58
腸蠕動音 ……………………………… 66
直接授乳観察用紙 …………………… 134
直腸温 ………………………………… 60

つ
爪のケア ……………………………… 91

て
帝王切開術後の子宮復古の観察 …… 26
帝王切開手術後の母乳育児支援 …… 146
低温火傷 ……………………………… 44
低血糖 ………………………………… 63
低体温 ………………………………… 63
低蛋白血症 …………………………… 63
適応ホルモン ………………………… 13
電子体温計 …………………………… 59
伝導 …………………………………… 75
電動搾乳器 …………………………… 143

と
頭囲の測定 …………………………… 73
頭血腫 ………………………………… 64, 65
疼痛緩和のケア ……………………… 14
ドーナツ枕 …………………………… 137
努力呼吸 ……………………………… 58

な
内反足 ………………………………… 68
内分泌調整 …………………………… 129

に
ニップルシールド …………………… 140
乳児湿疹 ……………………………… 95, 97
乳頭刺激 ……………………………… 25
乳頭損傷 ……………………………… 137
乳頭痛 ………………………………… 137
乳頭の形のチェック ………………… 135
乳房の準備 …………………………… 127
乳房の生理的緊満 …………………… 138
乳房の病的緊満 ……………………… 138
乳房の変化 …………………………… 129
乳幼児の栄養に関する
　　世界的な運動戦略 ……………… 115
乳輪腺 ………………………………… 127
尿回数 ………………………………… 135
尿酸塩尿 ……………………………… 55
妊娠高血圧症候群 …………………… 43
妊娠中の母乳育児支援 ……………… 116

の
ノルアドレナリン …………………… 13

は
把握反射 ……………………………… 65
排気 …………………………………… 133
バイタルサイン ……………………… 22
白色悪露 ……………………………… 29
バックケア …………………………… 46
ハンズオフ …………………………… 136
ハンズオン …………………………… 136
ハンズオンハンズ …………………… 136

ひ
避難用具 ……………………………… 148
皮膚洞 ………………………………… 67
病棟・病室の安全対策 ……………… 148
疲労回復のケア ……………………… 14
貧血症状 ……………………………… 22

ふ
不感蒸泄 ……………………………… 75
副雑音 ………………………………… 58
副耳 …………………………………… 64
輻射 …………………………………… 75

腹部膨満 ……………………………… 66
浮腫の程度 …………………………… 30
フットボール抱き …………………… 130
部分浴の適応 ………………………… 97
ブレストシェル ……………………… 137
プロラクチン ………………………… 143
分泌型免疫グロブリンA …………… 129
分娩遷延 ……………………………… 122

へ

新生児用ベッドからの抱き上げ …… 107
ベビー用ボディソープ ……………… 79
便回数 ………………………………… 135

ほ

防災用品 ……………………………… 149
母子相互作用 ………………………… 12
保湿剤 ………………………………… 92
母子同室 ……………………… 123, 125
母子同床 ……………………………… 123
母乳育児成功のための10カ条 …… 115
母乳育児相談室 ……………………… 117
母乳育児の利点 ……………………… 114
母乳を飲めているかのサイン ……… 135
母乳代用品のマーケティングに
　関する国際基準⇒WHOコードの項
母乳の変化 …………………………… 129
母乳の保存期間 ……………………… 144
母乳不足 ……………………………… 139
哺乳量 ………………………………… 135
ホルモン ……………………………… 13

ま

魔歯 …………………………………… 64
マタニティ・ブルー ………………… 16
マッサージ …………………………… 46

み

ミネラル ……………………………… 129

む

無呼吸 ………………………………… 58

も

沐浴中の体位変換 ………… 85, 86, 87
モロー反射 …………………………… 65
モントゴメリー腺 …………………… 127

よ

羊水混濁 ……………………………… 122

ら

落屑 …………………………………… 67
ラッチ・オン ………………… 121, 132

り

輪状マッサージ ……………………… 27

れ

冷感 …………………………………… 67
冷凍母乳 ……………………………… 144
冷凍母乳の解凍 ……………………… 144
冷凍用母乳バッグ …………………… 141

ろ

瘻孔 …………………………………… 64

アルファベット

BFHI: Baby friendly hospital initiative
　⇒赤ちゃんにやさしい病院運動の項
Birth Kangaroo Care ……………… 119
early skin-to-skin contact ………… 119
Levine-Freemanの分類 …………… 59
The Ten Steps to Successful
　Breastfeeding⇒母乳育児成功のための
　　　　　10カ条の項
warm nape phenomenon ………… 60
WHO／UNICEF …………………… 115
WHOコード ………………… 115, 145
WM型 ………………………… 61, 98

新訂版 写真でわかる 母性看護技術アドバンス
褥婦・新生児の観察とケア、母乳育児を理解しよう！

2020年 1月20日　初版第1刷発行
2020年12月20日　初版第2刷発行
2022年 2月20日　初版第3刷発行
2023年 2月10日　初版第4刷発行

［監　　修］平澤美惠子・村上睦子
［発行人］赤土正明
［発行所］株式会社インターメディカ
　　　　　〒102-0072　東京都千代田区飯田橋2-14-2
　　　　　TEL.03-3234-9559　FAX.03-3239-3066
　　　　　URL　http://www.intermedica.co.jp
［印　　刷］図書印刷株式会社

［デザイン・DTP］真野デザイン事務所

ISBN978-4-89996-410-0
定価はカバーに表示してあります。

本書の内容（本文、図表、写真、イラストなど）を、当社および著作権者の許可なく無断複製する行為（複写、スキャン、デジタルデータ化、翻訳、データベースへの入力、インターネットへの掲載など）は、「私的使用のための複製」などの著作権法上の例外を除き、禁じられています。病院や施設などにおいて、業務上使用する目的で上記の行為を行うことは、その使用範囲が内部に限定されるものであっても、「私的使用」の範囲に含まれず、違法です。また、本書を代行業者などの第三者に依頼して上記の行為を行うことは、個人や家庭内での利用であっても一切認められておりません。

新訂版 写真でわかる
母性看護技術
アドバンス

通い合う地球のことば
国際語エスペラント

Invito al Internacia Lingvo Esperanto

"最大級の国際協力イベント
グローバルフェスタ"にて

- エスペラント世界地図…1
- 12人のエスペラント体験…2
- 「田舎なのに都会」なエスペラント…9
- こんなところにエスペラント…10
- 通訳のいらない国際会議…11
- エスペラントの組織…12
- 教育とエスペラント…14
- エスペラントの創案者ザメンホフ…15
- エスペラント歴史人物伝…16
- 速習エスペラント入門…18
- エスペラントの出版文化…25
- 学習法・教材…29
- 一般財団法人 日本エスペラント協会…巻末

第101回世界エスペラント大会(スロバキア)のポスター

インドネシアの大学のエスペラントサークル

国際語エスペラントの使用者は

オーストリア国立博物館付属の世界最大規模のエスペラント博物館
ウィーン・エスペラント博物館（オーストリア）

フランスのシャトーを改装した合宿研修施設
グレジヨン城（フランス）

1~3週間の日程で毎年開催される国際合宿＋イベント
北米夏季エスペラント講座（アメリカ合衆国、カナダ）

ブラジルにあるエスペラント共同体
ボーナ・エスペーロ（ブラジル）

正規授業としてエスペラントを教える小中高一体
ザメンホフ学院（トーゴ）